THE ARCHITECTURAL DRAWINGS
OF ANTONIO DA SANGALLO THE YOUNGER
AND HIS CIRCLE

THE ARCHITECTURAL DRAWINGS OF
ANTONIO DA SANGALLO THE YOUNGER
AND HIS CIRCLE

VOLUME III·B
Antiquity and Theory
PLATES

Christoph Luitpold Frommel | Georg Schelbert

HARVEY MILLER PUBLISHERS

HARVEY MILLER PUBLISHERS
An Imprint of Brepols Publishers
London/Turnhout

British Library Cataloguing in Publication Data
A catalogue record for this book
is available from the British Library
ISBN 978-1-912554-37-9 (Text)
ISBN 978-1-912554-38-6 (Plates)
ISBN 978-1-912554-39-3 (2 volumes)

This book was produced in collaboration with and with funding
by Bibliotheca Hertziana – Max Planck Institute for Art History,
department II Prof. Tristan Weddigen: *Art of the Modern Age in a
Global Context* (project number BH-P-19-25)

Printed in the EU on acid-free paper.

Contents

The Drawings

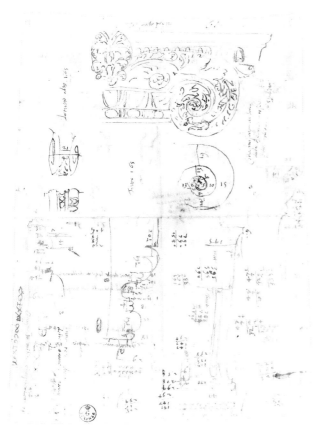

U 32A *recto*

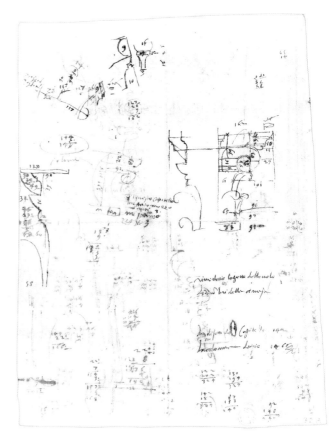

U 32A *verso*

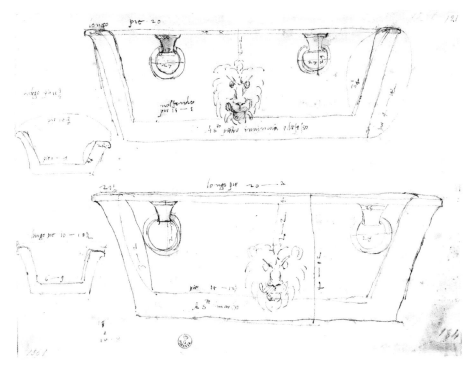

U 184A *recto*

U 184A *verso*

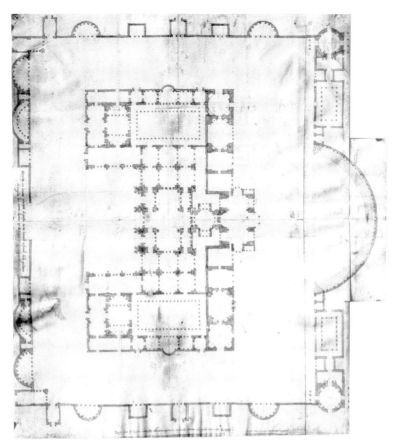

U 284A *recto*

U 284A *verso*

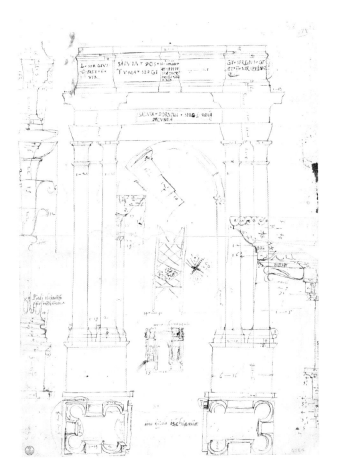

U 508A *recto*

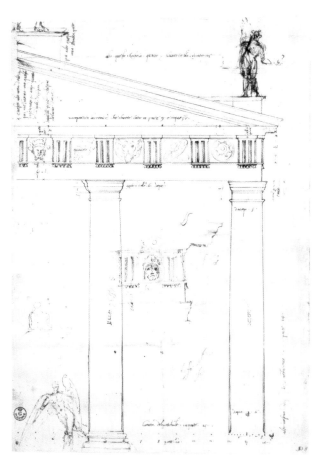

U 508A *verso*

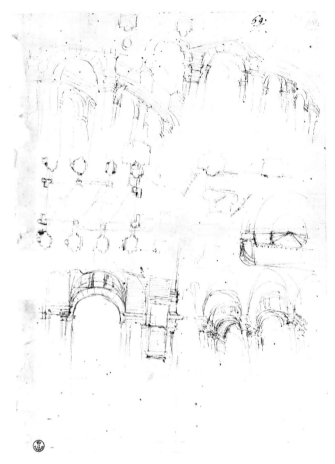

U 562A *recto*

U 562A *verso*

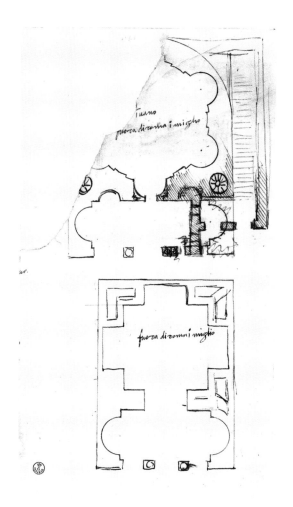

U 575A *recto*

U 575A *verso*

U 606A *recto*

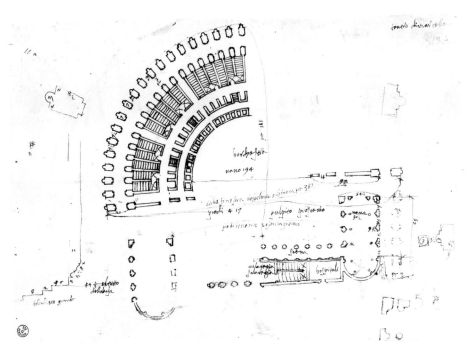

U 626A *recto*

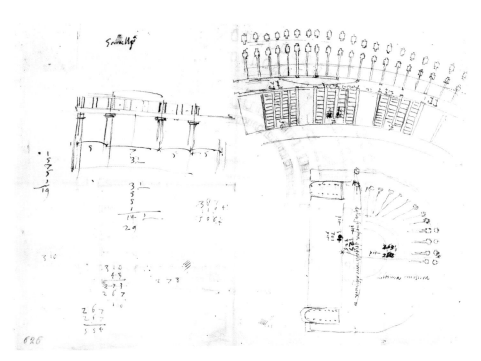

U 626A *verso*

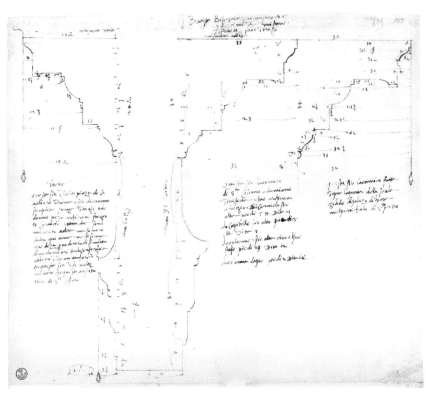

U 716A *recto*

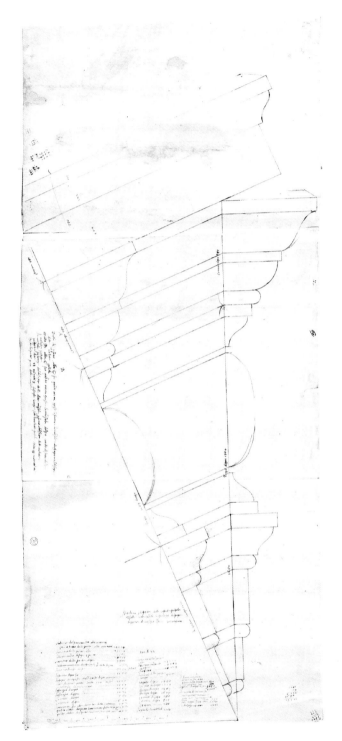

U 788A *recto*

U 788A *verso*

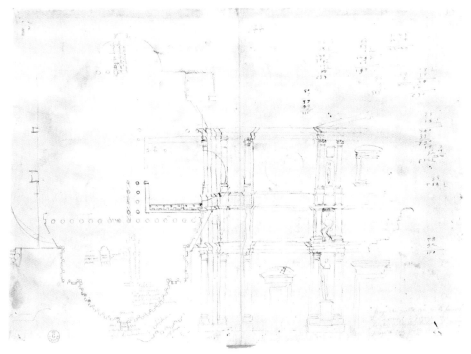

U 790A *recto*

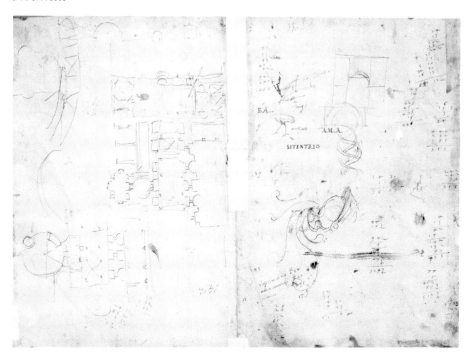

U 790A *verso*

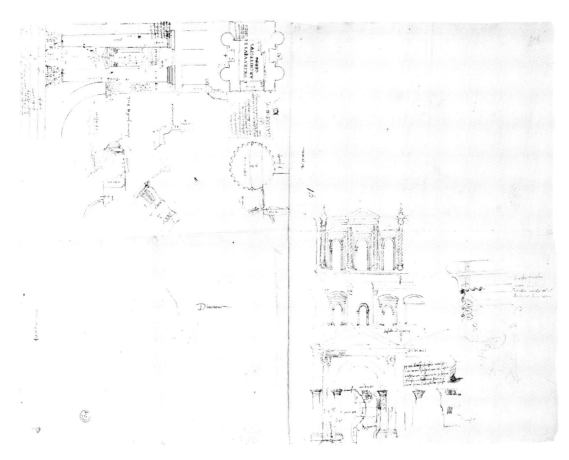

U 815A *recto*

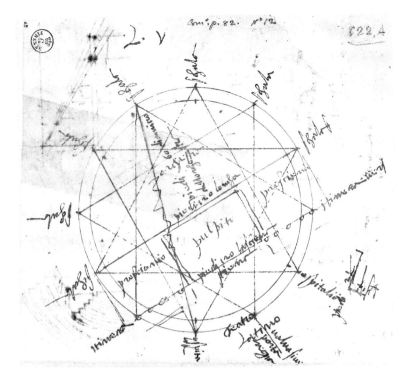

U 834A *recto*

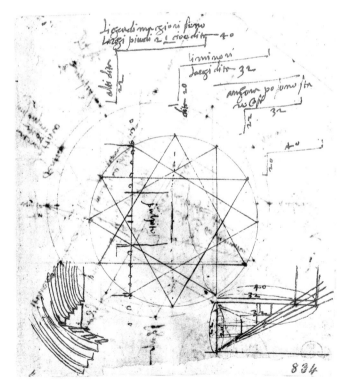

U 834A *verso*

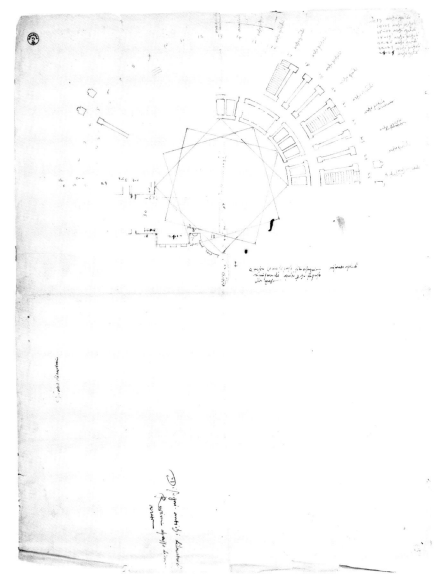

U 844A *recto*

U 853A *recto*

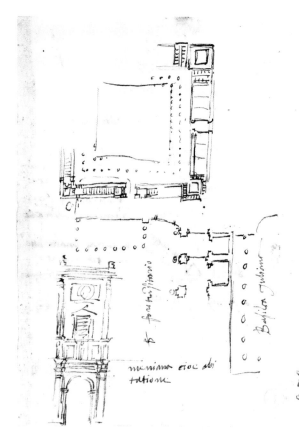

U 853A *verso*

U 854A *recto*

U 859A *recto*

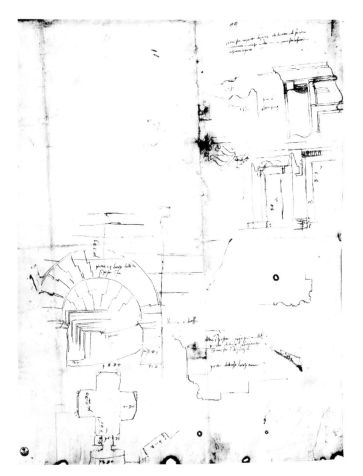

U 888A *recto*

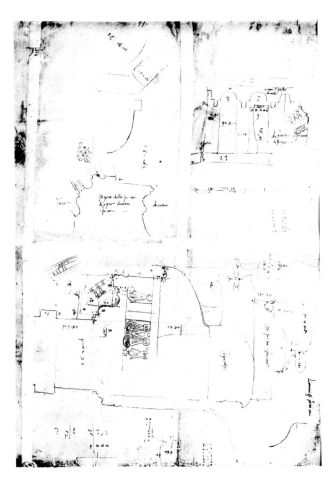

U 888A *verso*

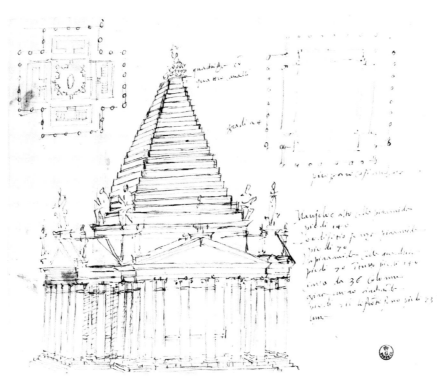

U 894A *recto*

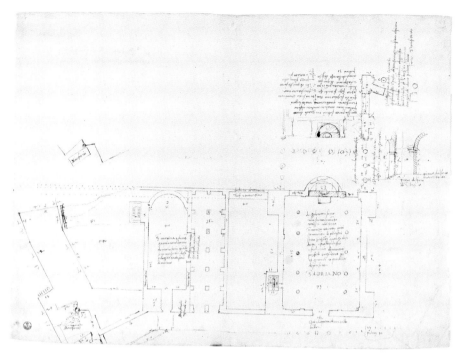

U 896A *recto*

U 900A *recto*

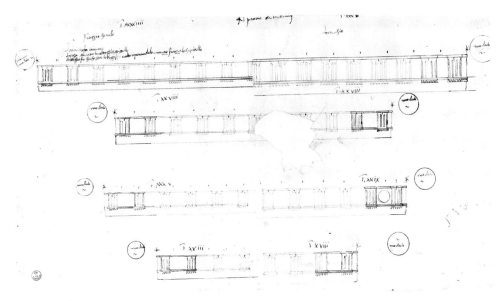

U 903A *recto*

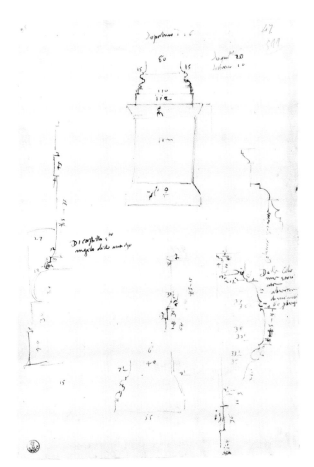

U 911A *recto*

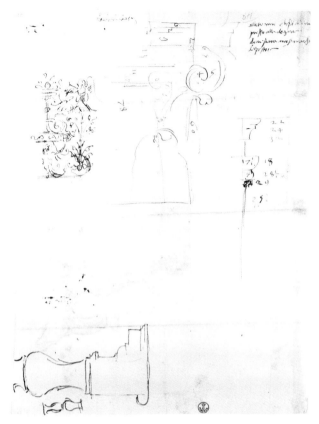

U 913A *recto*

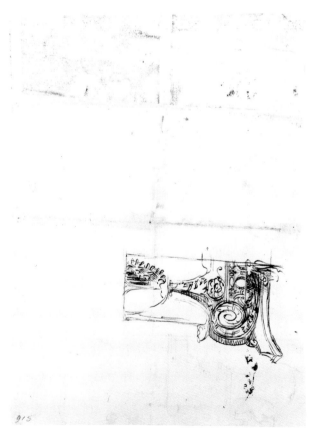

U 913A *verso*

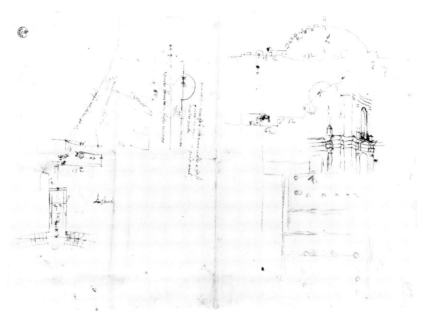

U 915A *recto*

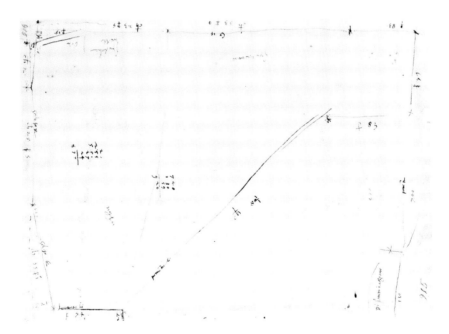

U 915A *verso*

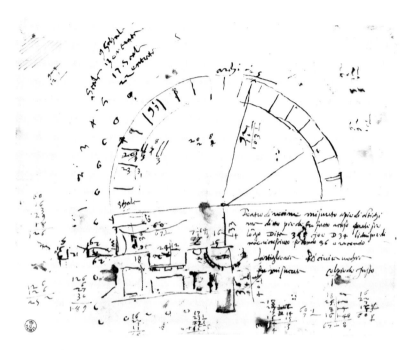

U 917A *recto*

U 917A *verso*

U 919A *recto*

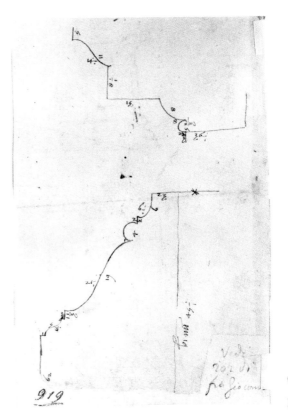

U 919A *verso*

U 930A *recto*

U 930A *verso*

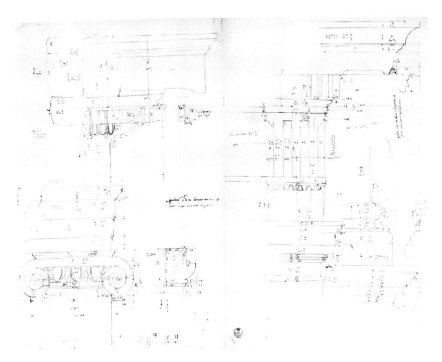

U 932A *recto*

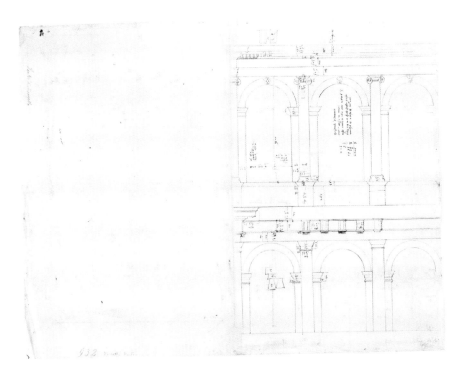

U 932A *verso*

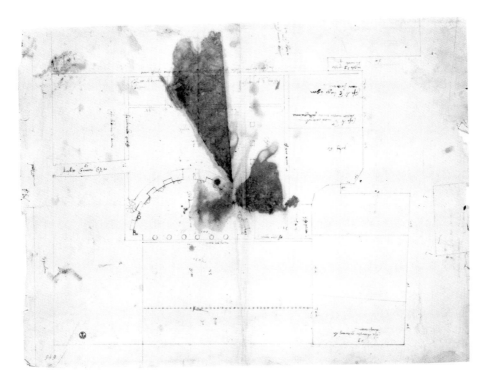

U 949A *recto*

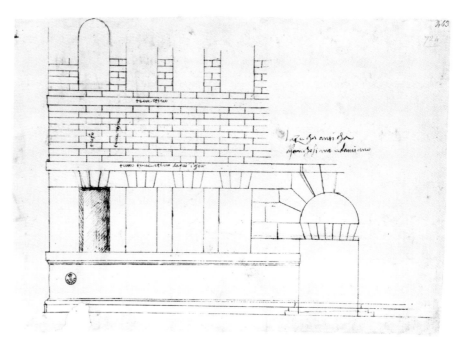

U 992A *recto*

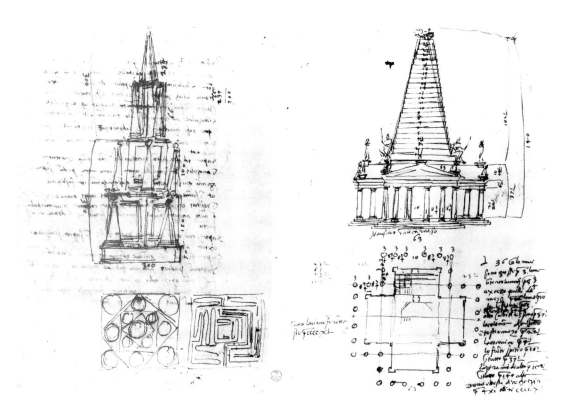

U 1037A *recto*

U 1037A *verso*

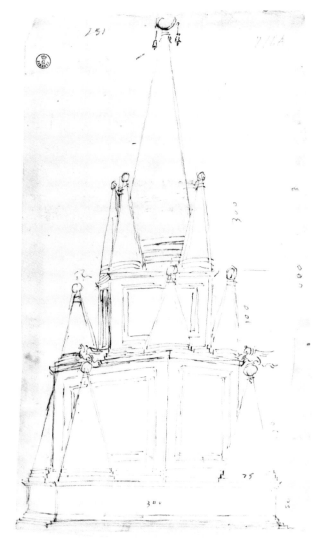

U 1038A *recto*

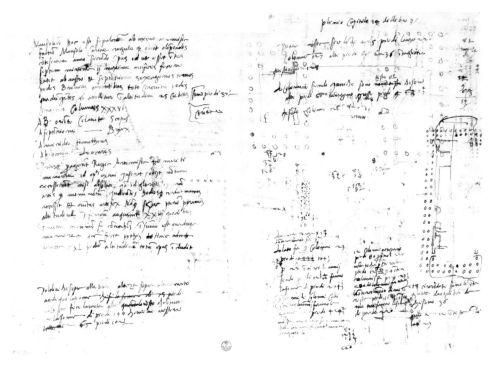

U 1039A *recto*

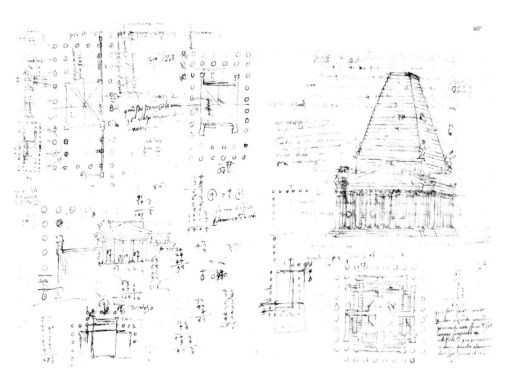

U 1039A *verso*

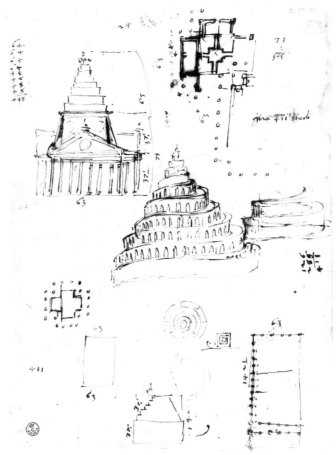

U 1040A *recto*

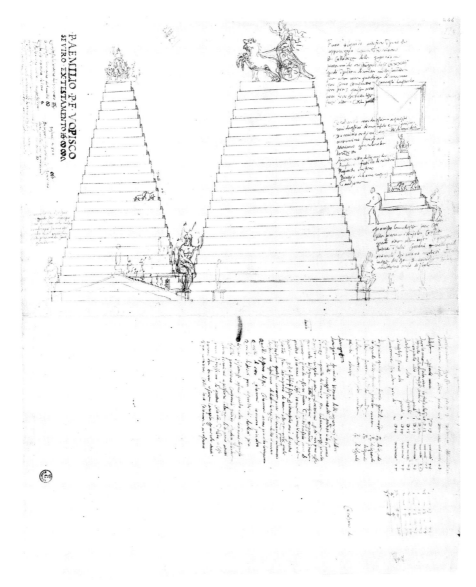

U 1042A *recto*

U 1043A *recto*

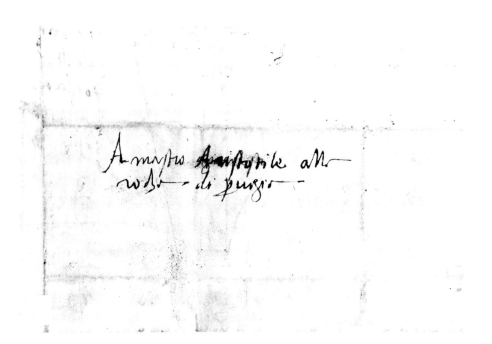

U 1043A *verso*

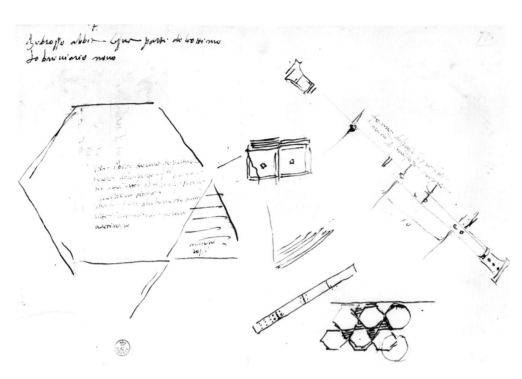

U 1044A *recto*

U 1044A *verso*

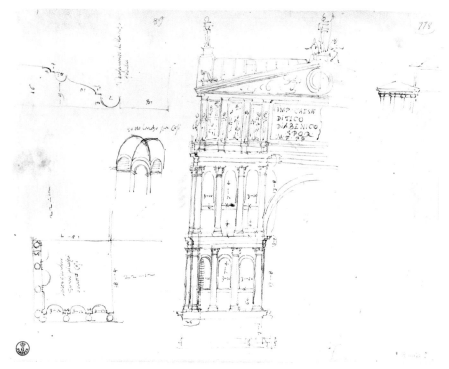

U 1046A *recto*

U 1057A *recto*

U 1057A *verso*

43

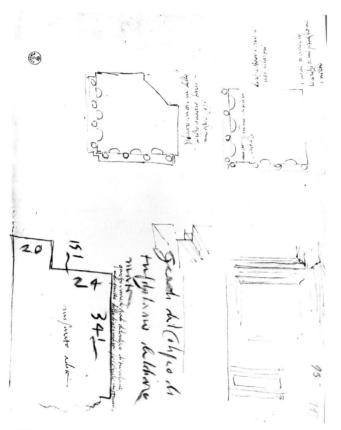

U 1064A *recto*

U 1064A *verso*

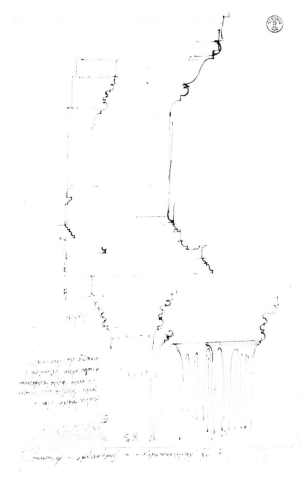

U 1065A *recto*

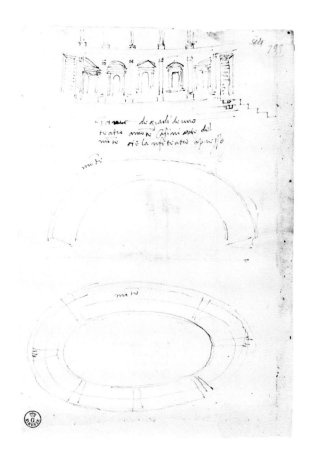

U 1066A *recto*

U 1066A *verso*

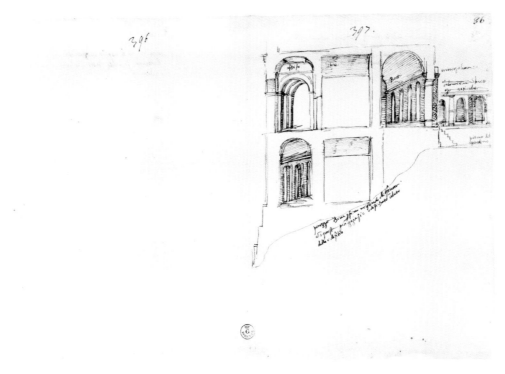

U 1067A *recto*

U 1067A *verso*

U 1068A *recto*

U 1068A *verso*

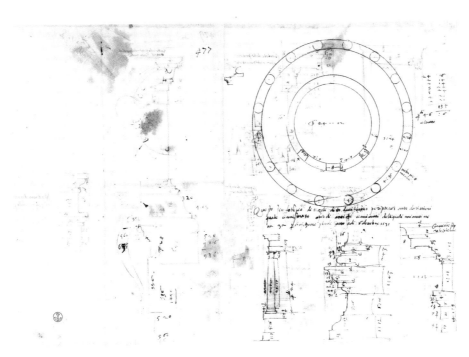

U 1069A *recto*

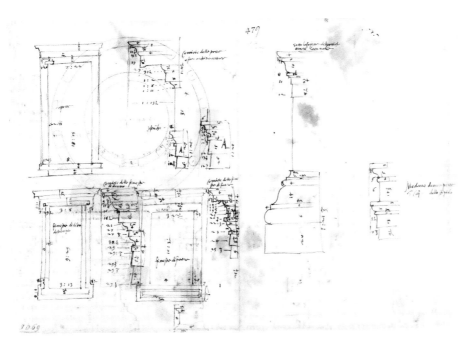

U 1069A *verso*

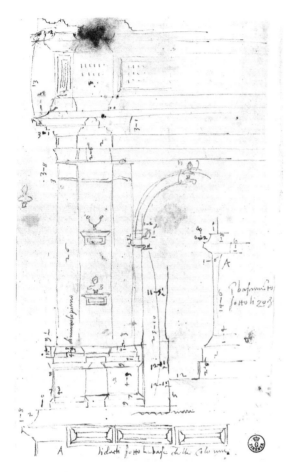

U 1071A *recto*

U 1071A *verso*

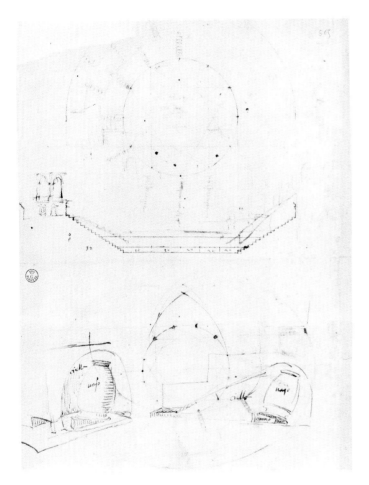

U 1072A *recto*

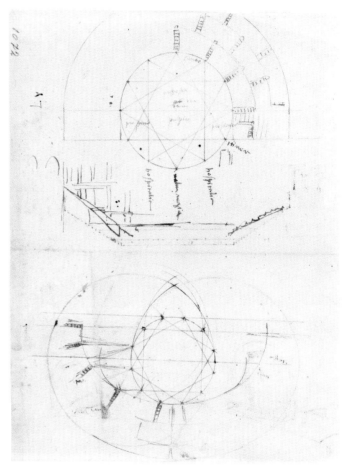

U 1072A *verso*

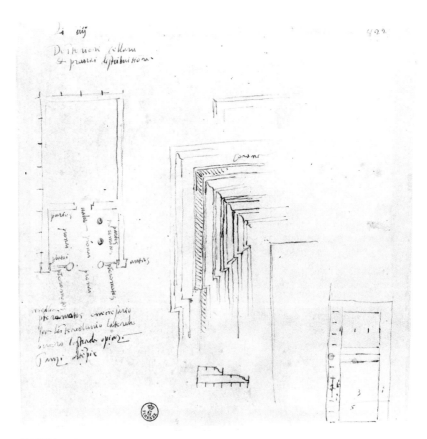

U 1088A *recto*

52

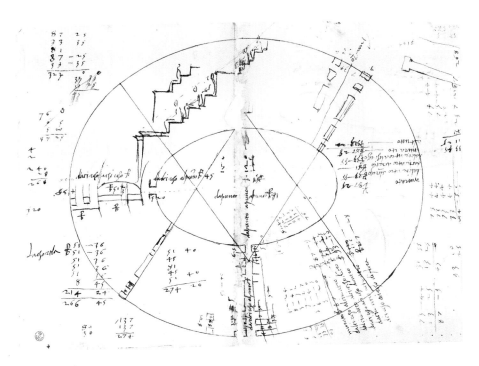

U 1089A *recto*

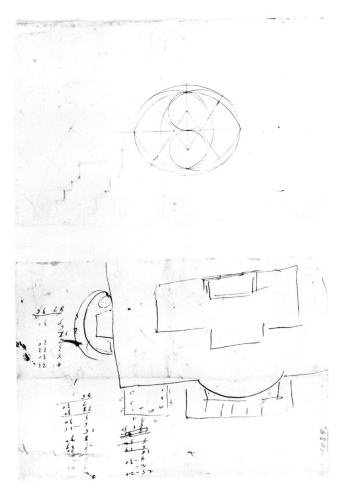

U 1089A *verso*

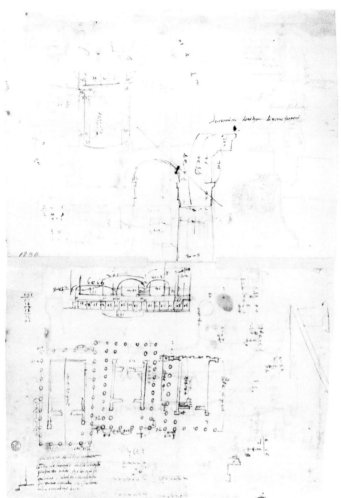

U 1090A *recto*/U 1230A *verso*

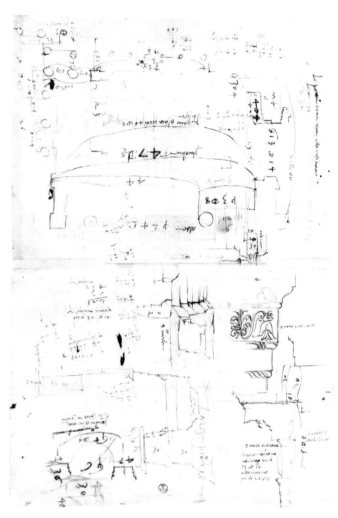

U 1090A *verso*/U 1230A *recto*

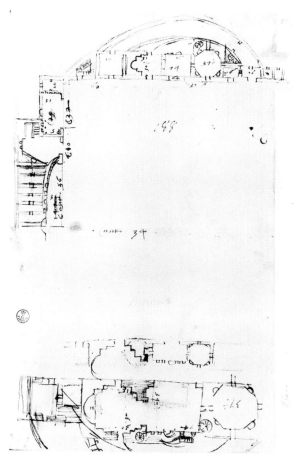

U 1093A *recto*

U 1095A *recto*

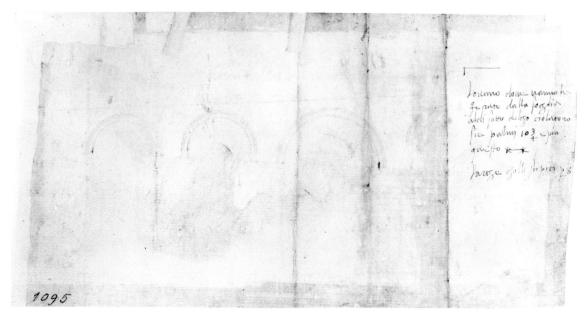

U 1095A *verso*

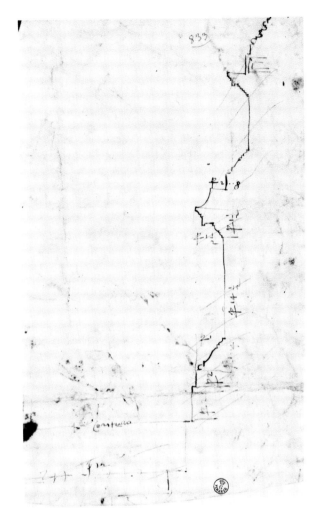

U 1099A *recto*

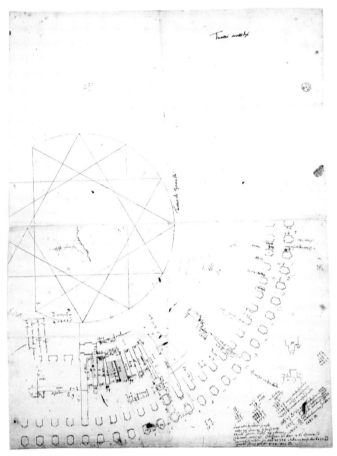

U 1107A *recto*

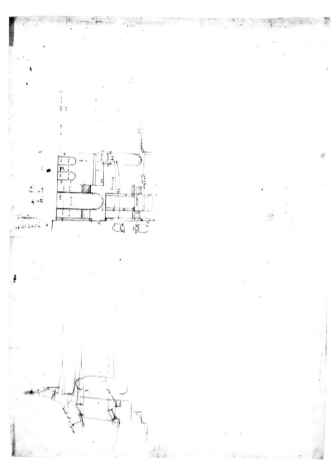

U 1107A *verso*

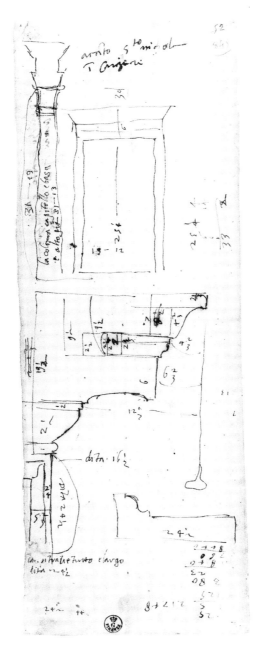

U 1112A *recto*

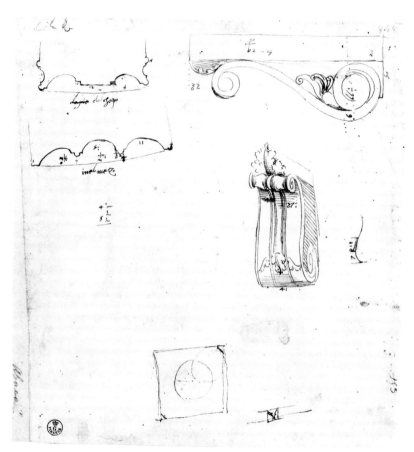

U 1115A *recto*

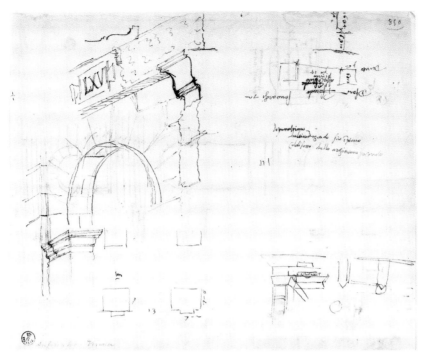

U 1117A *recto*

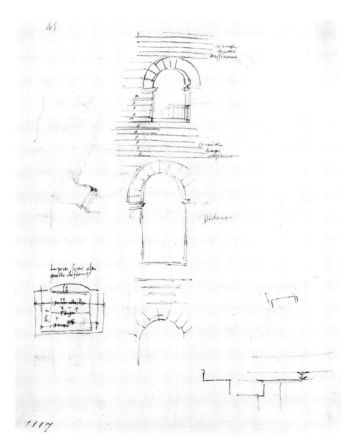

U 1117A *verso*

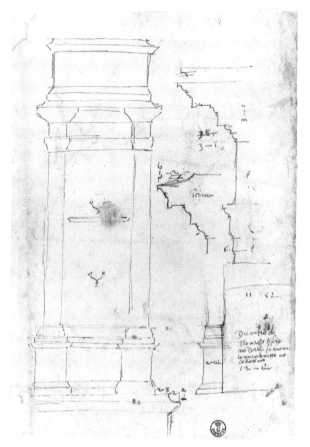

U 1119A *recto*

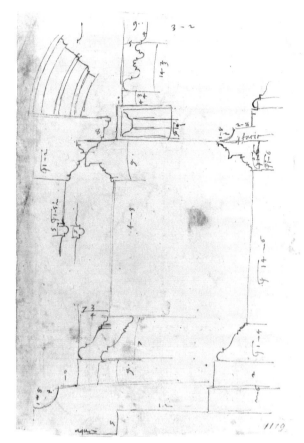

U 1119A *verso*

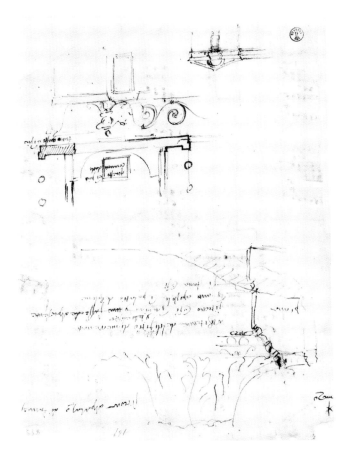

U 1120A *recto*

U 1120A *verso*

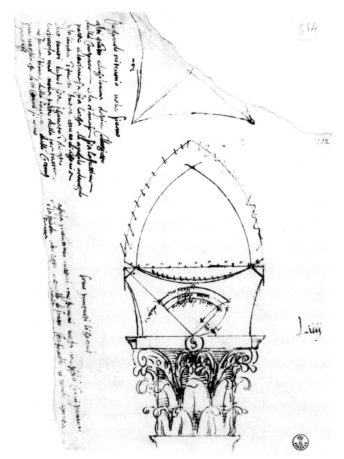

U 1121A *recto*

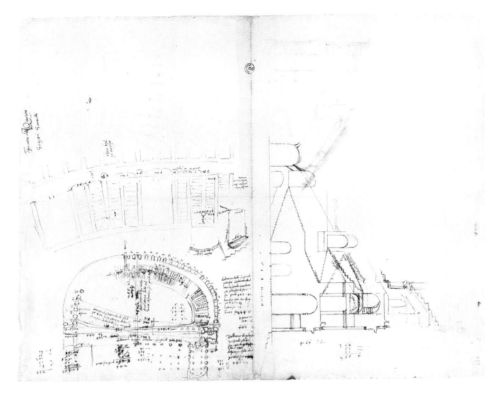

U 1122A *recto*

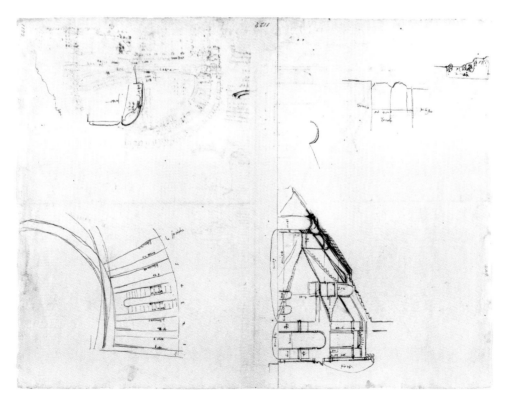

U 1122A *verso*

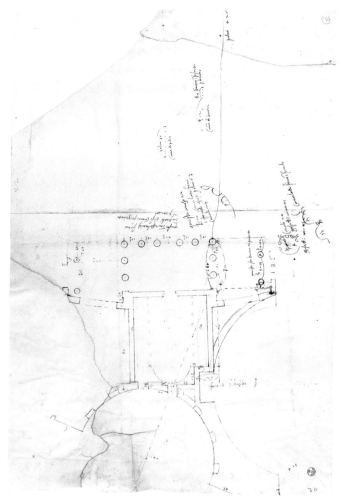

U 1123A *recto*

U 1126A *recto*

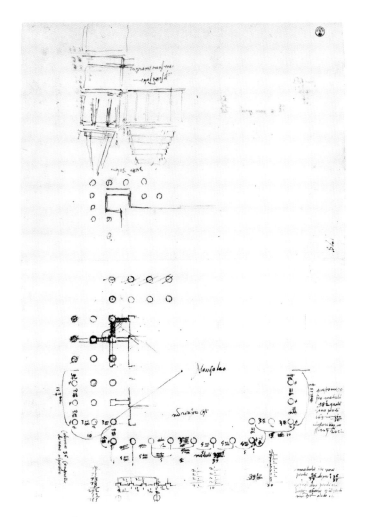

U 1124A *recto*

U 1124A *verso*

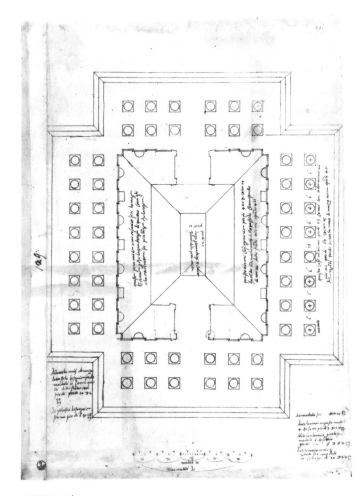

U 1128A *recto*

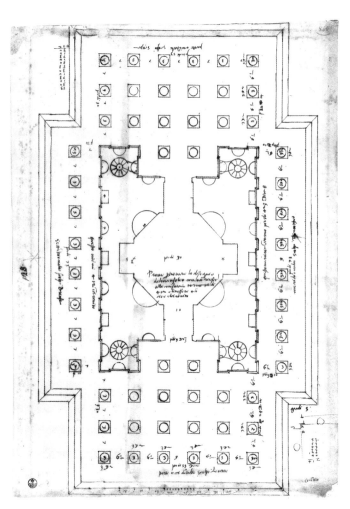

U 1127A *recto*

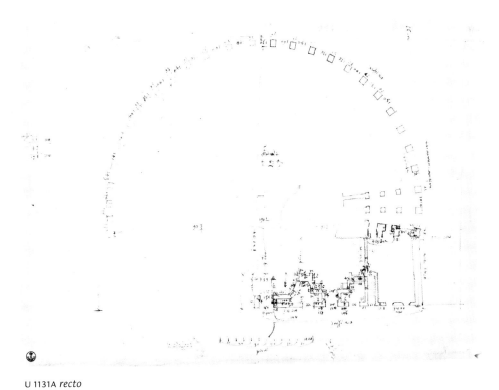

U 1131A *recto*

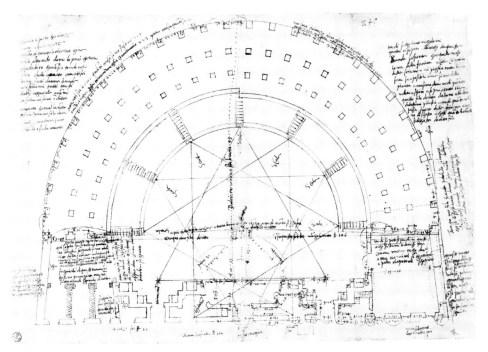

U 1132A *recto*

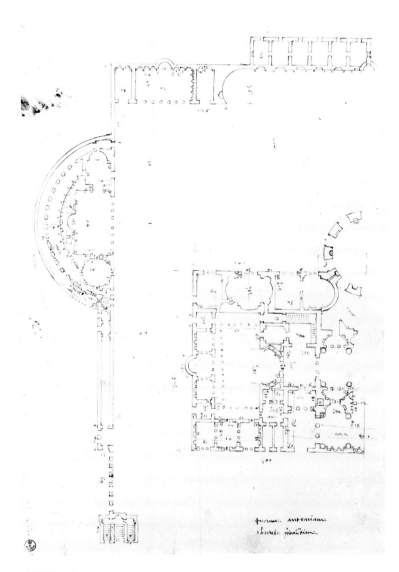

U 1133A *recto*

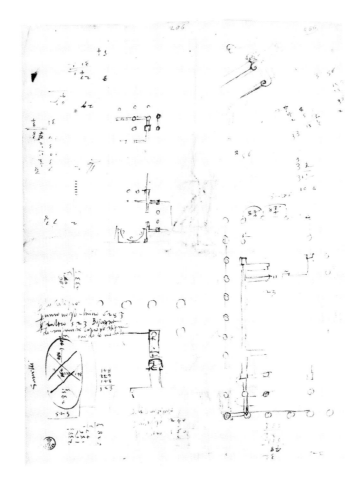

U 1134A *recto*

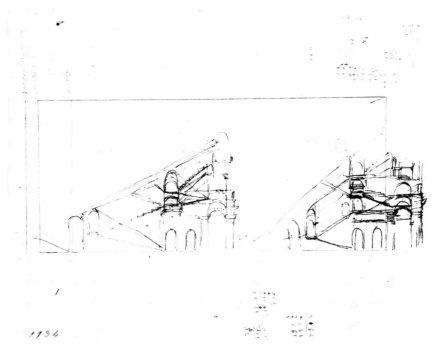

U 1134A *verso*

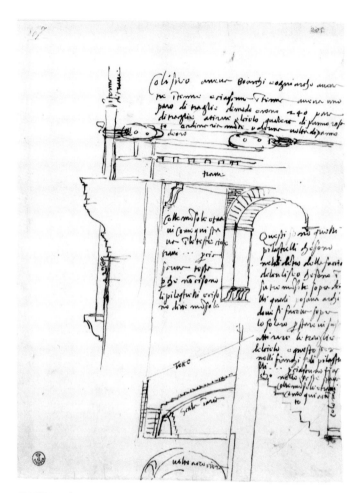

U 1135A *recto*

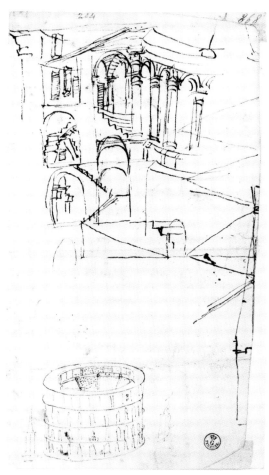

U 1136A *recto*

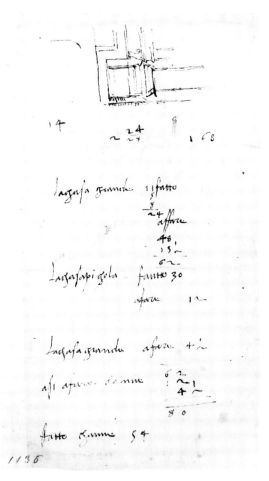

U 1136A *verso*

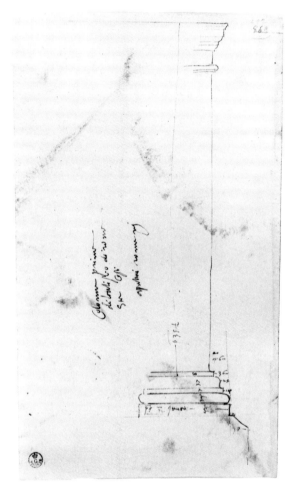

U 1137A *recto*

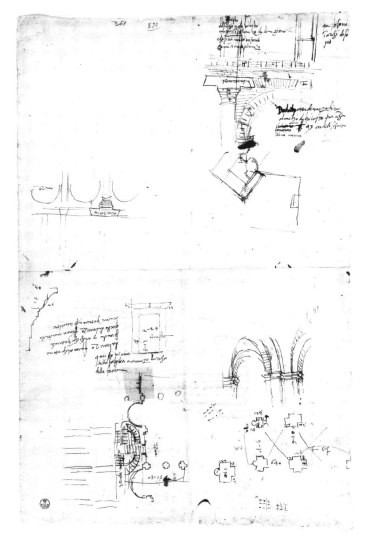

U 1138A *recto*

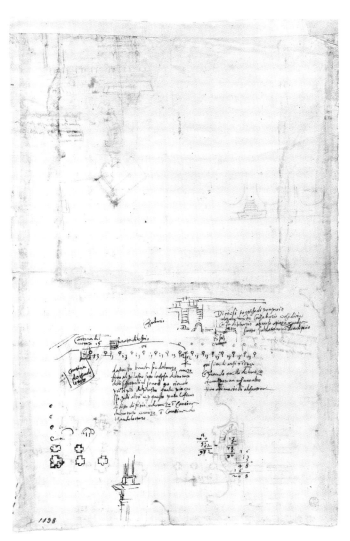

U 1138A *verso*

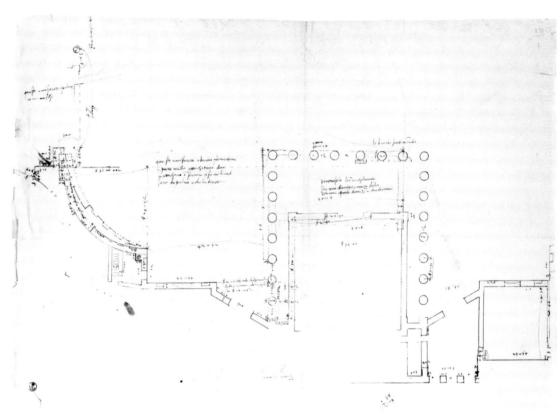

U 1139A *recto*

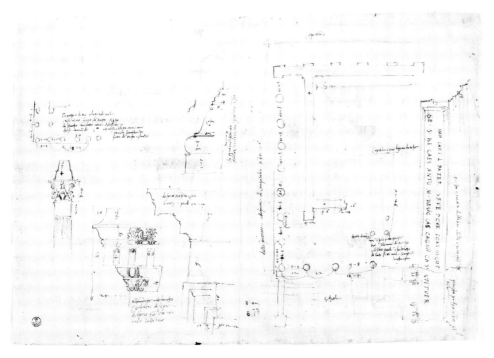

U 1140A *recto*

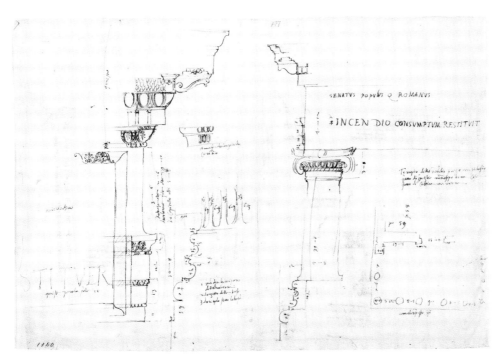

U 1140A *verso*

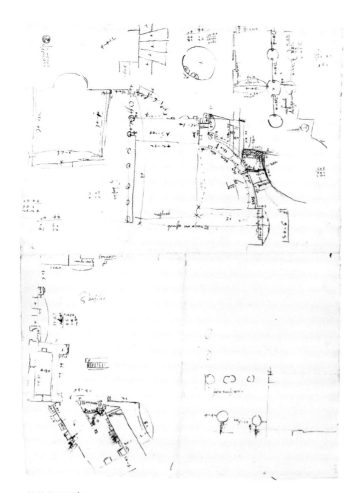

U 1141A *recto*

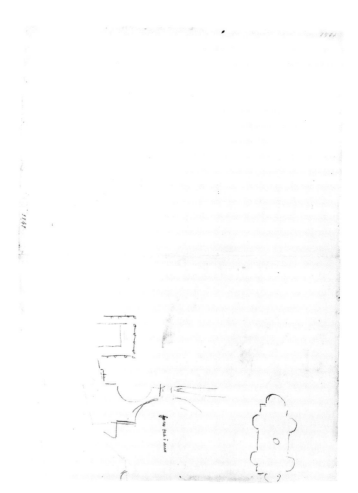

U 1141A *verso*

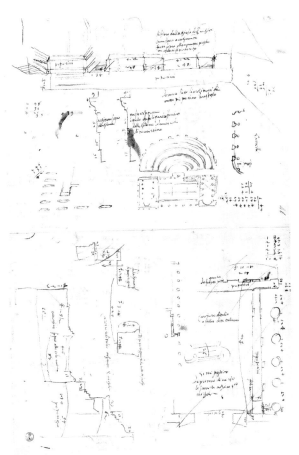

U 1142A *recto*

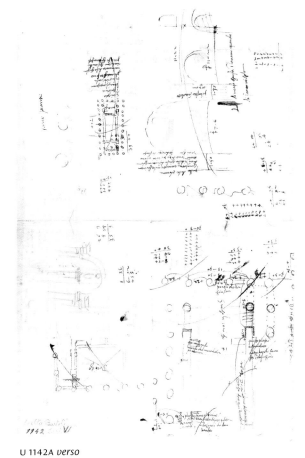

U 1142A *verso*

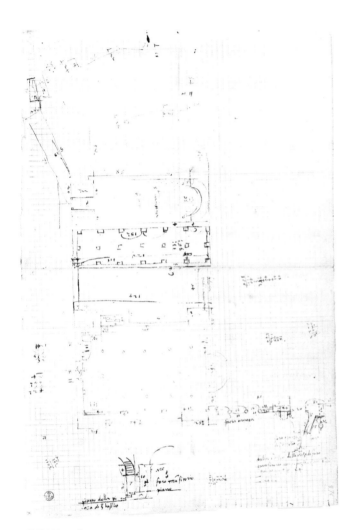

U 1143A *recto*

U 1143A *verso*

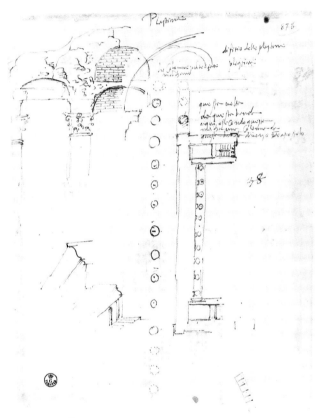

U 1144A *recto*

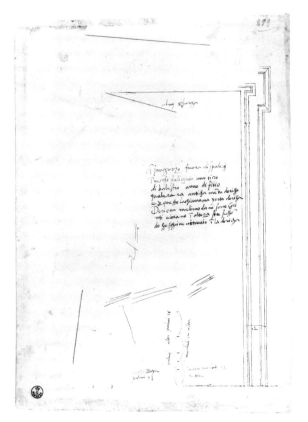

U 1147A *recto*

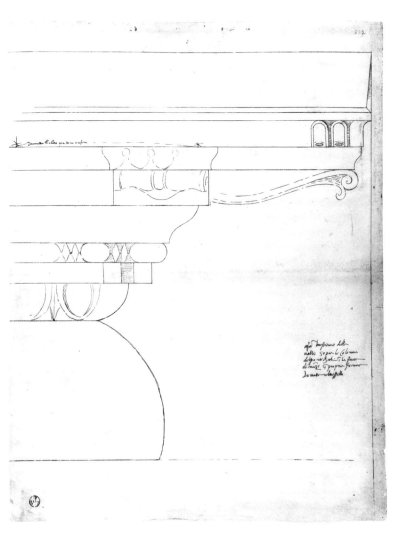

U 1150A *recto*

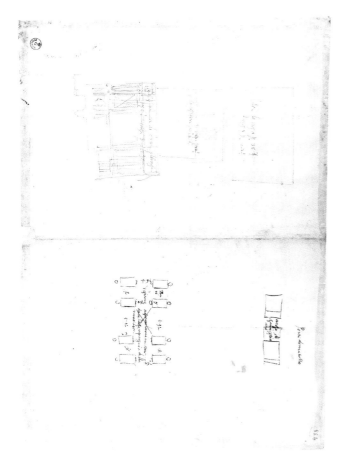

U 1152A *recto*

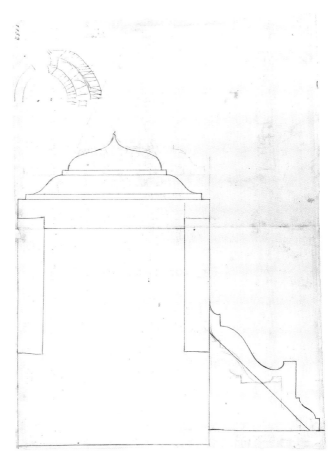

U 1152A *verso*

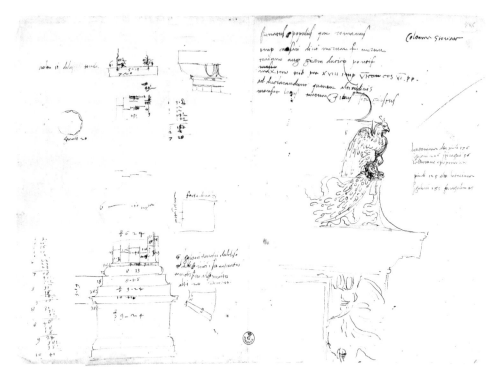

U 1153A *recto*

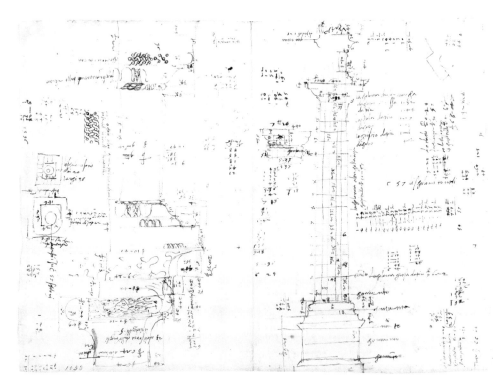

U 1153A *verso*

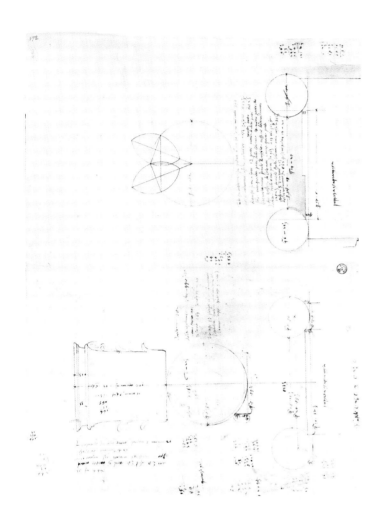

U 1154A *recto*

U 1154A *verso*

U 1156A *recto*

U 1156A *verso*

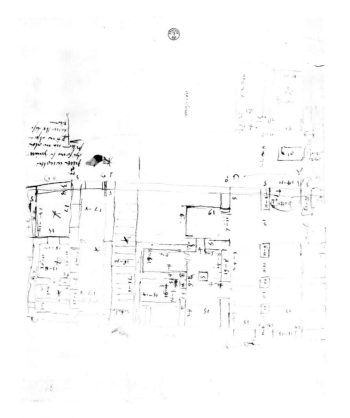

U 1159A *recto*

U 1159A *verso*

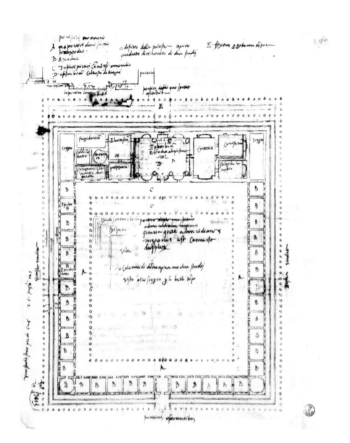

U 1161A *recto*

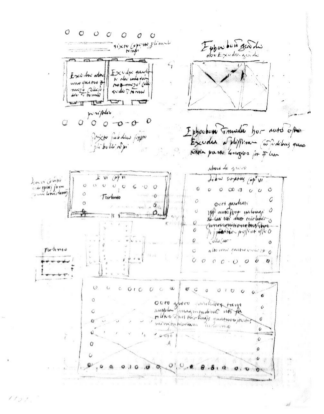

U 1161A *verso*

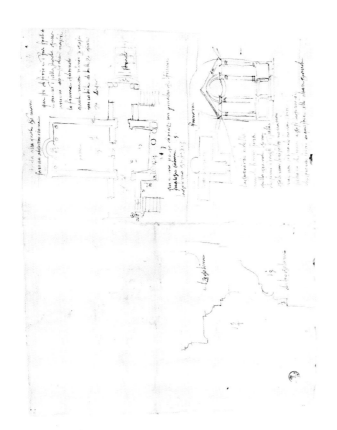

U 1162A *recto*

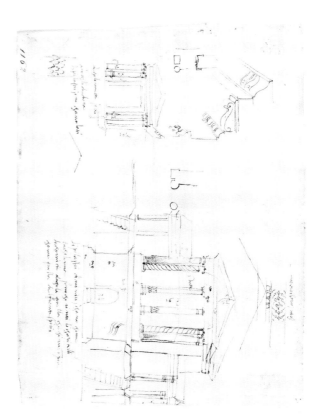

U 1162A *verso*

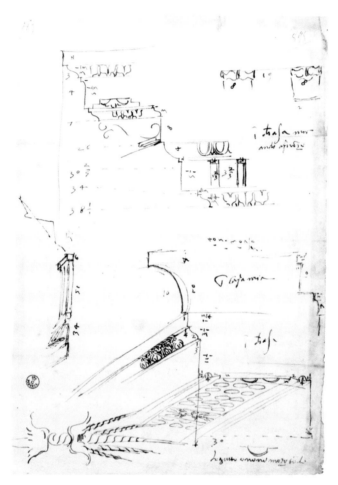

U 1163A *recto*

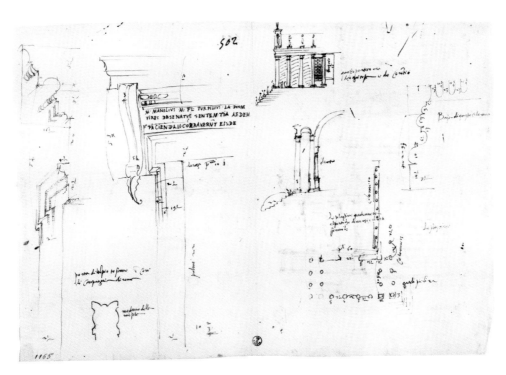

U 1165A *recto*

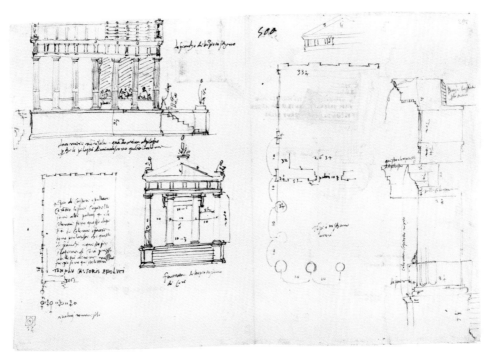

U 1165A *verso*

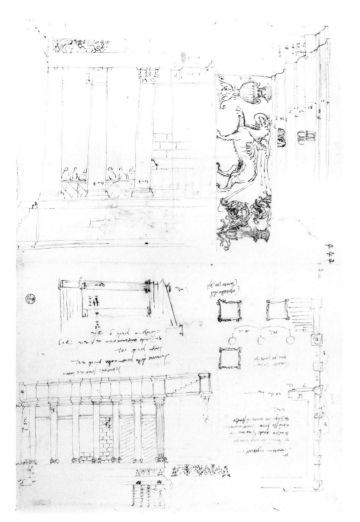

U 1166A *recto*

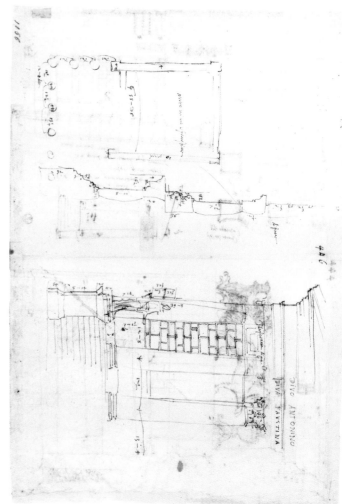

U 1166A *verso*

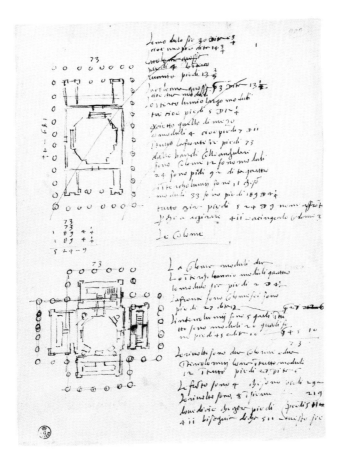

U 1167A *recto*

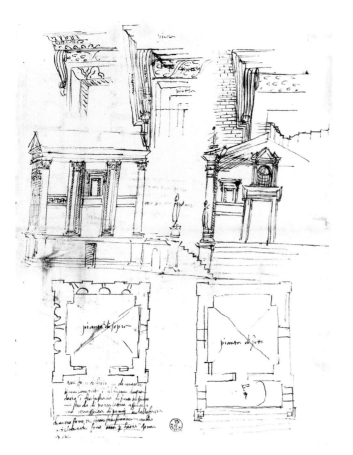

U 1168A *recto*

U 1168A *verso*

94

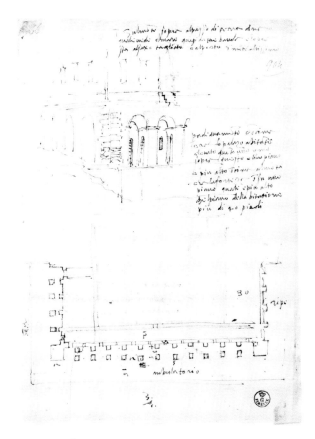

U 1171A *recto*

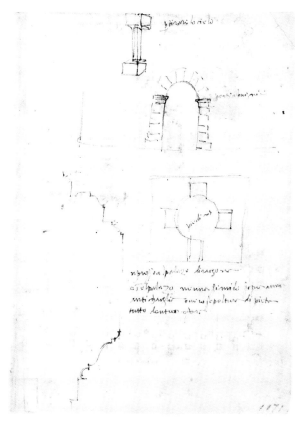

U 1171A *verso*

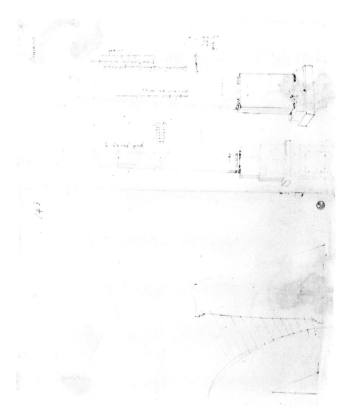

U 1172A *recto*

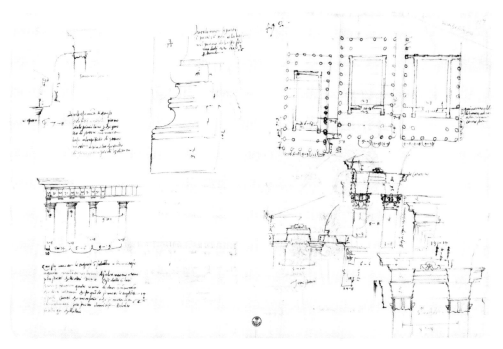

U 1174A *recto*

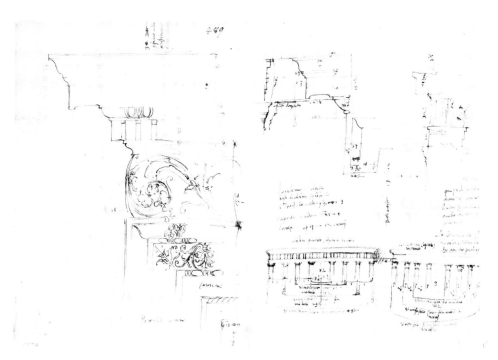

U 1174A *verso*

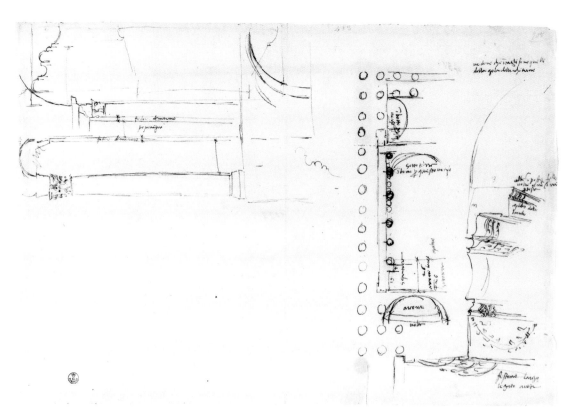

U 1175A *recto*

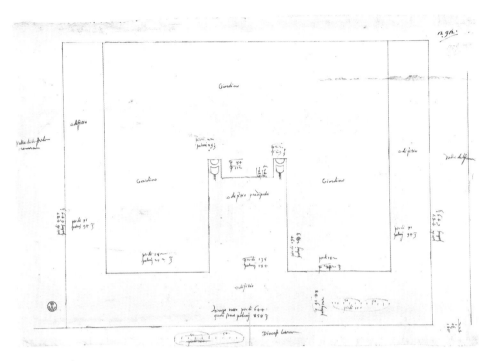

U 1176A *recto*

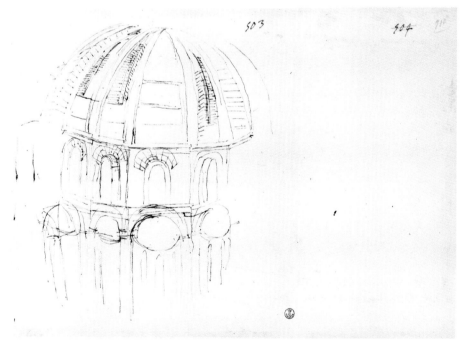

U 1177A *recto*

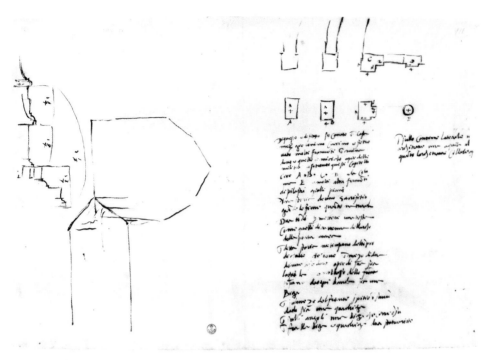

U 1178A *recto*

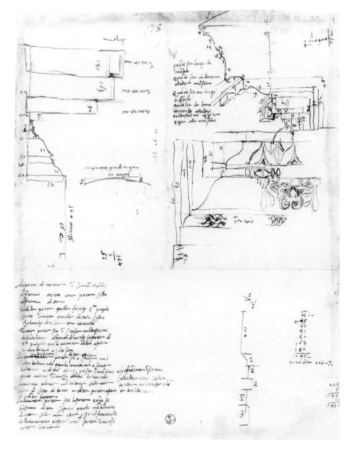

U 1179A *recto*

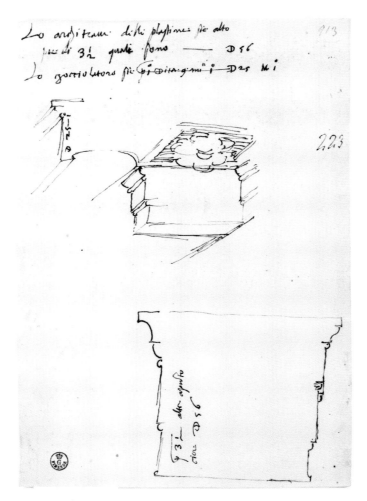

U 1180A *recto*

U 1181A *recto*

U 1181A *verso*

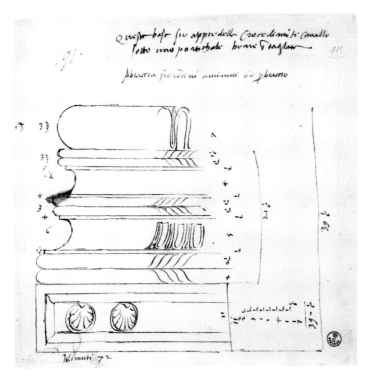

U 1182A *recto*

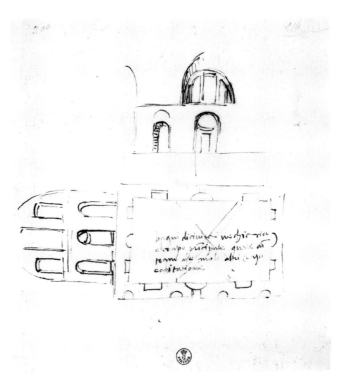

U 1183A *recto*

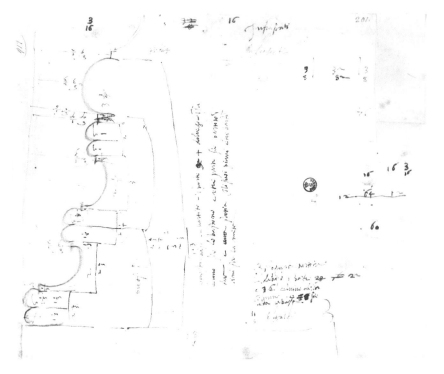

U 1184A *recto*

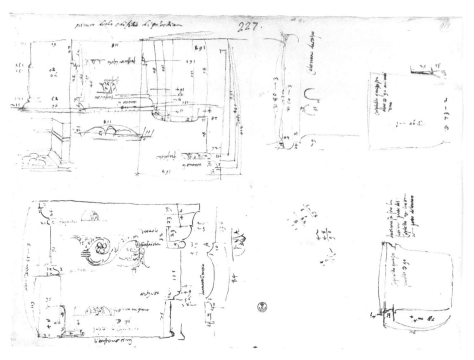

U 1186A *recto*

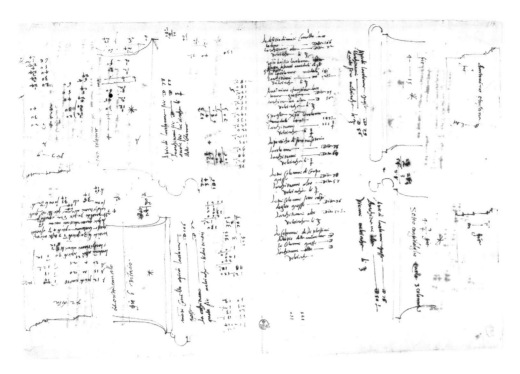

U 1187A *recto*

U 1187A *verso*

U 1188A *recto*

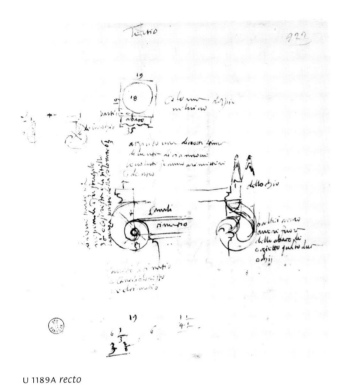

U 1189A *recto*

U 1189A *verso*

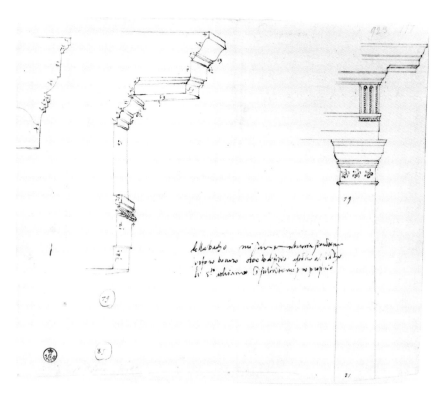

U 1190A *recto*

108

U 1192A *recto*

U 1192A *verso*

U 1193A *recto*

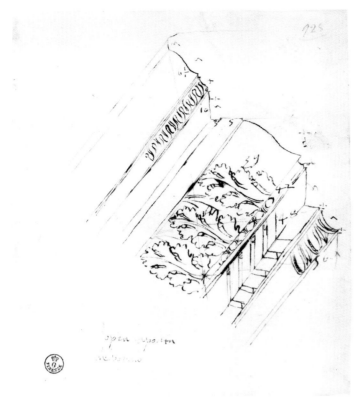

U 1195A *recto*

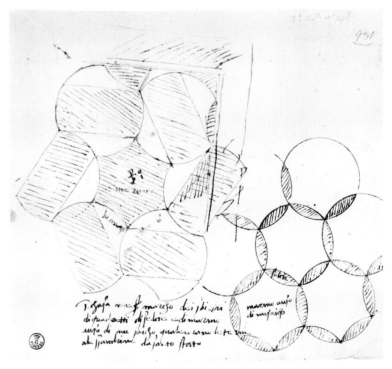

U 1197A *recto*

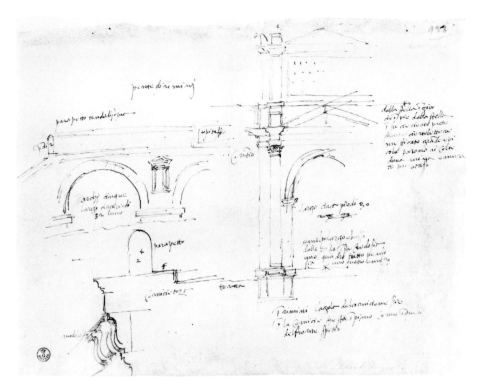

U 1200A *recto*

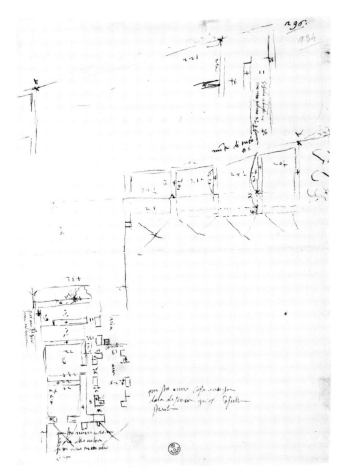

U 1201A *recto*

U 1202A *recto*

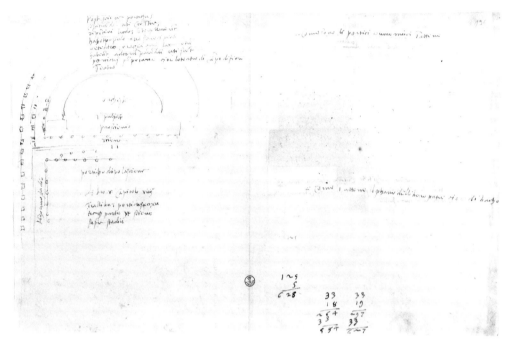

U 1203A *recto*

U 1203A *verso*

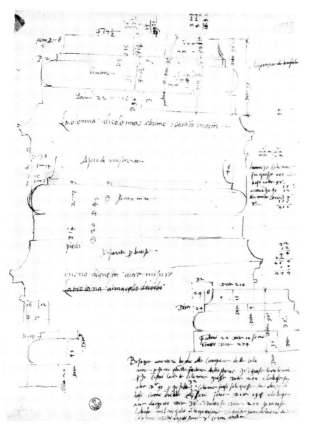

U 1204A *recto*

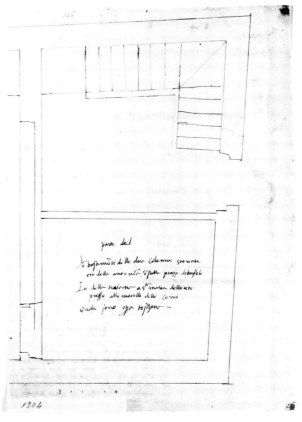

U 1204A *verso*

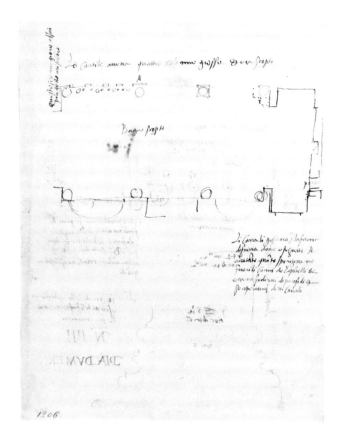

U 1206A *recto*

U 1206A *verso*

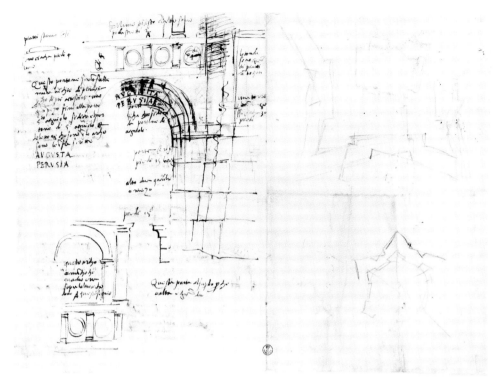

U 1207A *recto*

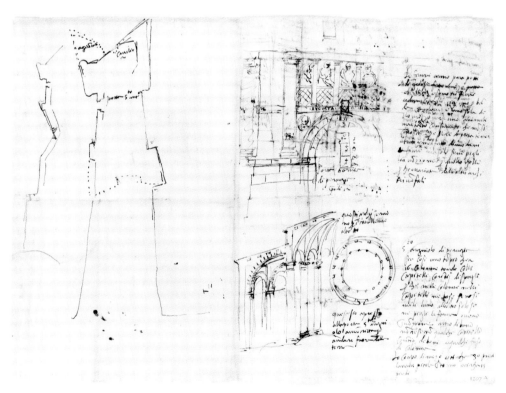

U 1207A *verso*

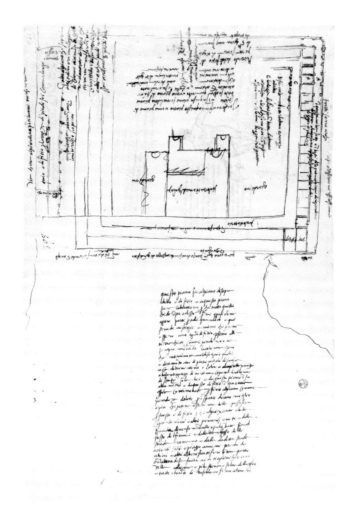

U 1208A *recto*

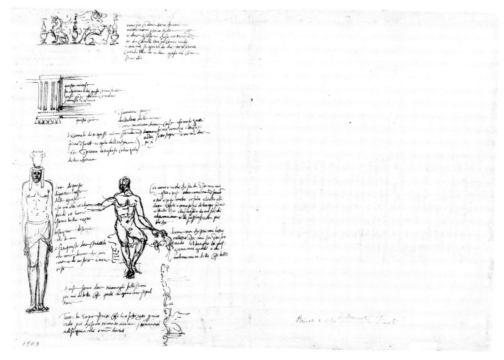

U 1208A *verso*

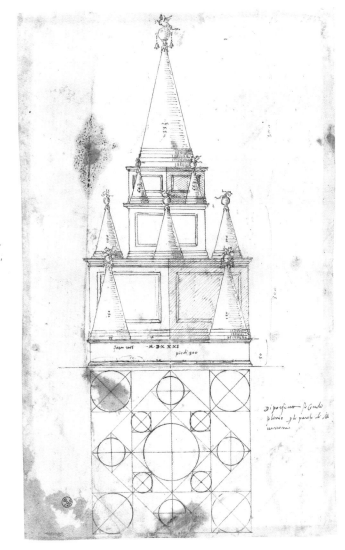

U 1209A *recto*

U 1210A *recto*

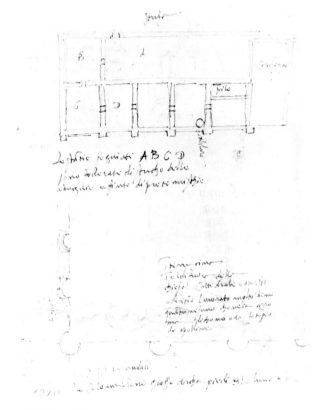

U 1210A *verso*

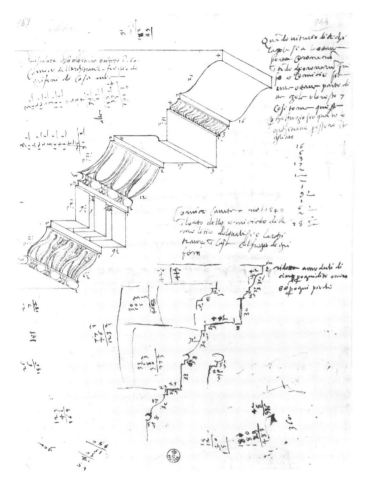

U 1211A *recto*

U 1211A *verso*

U 1213A *recto*

U 1213A *verso*

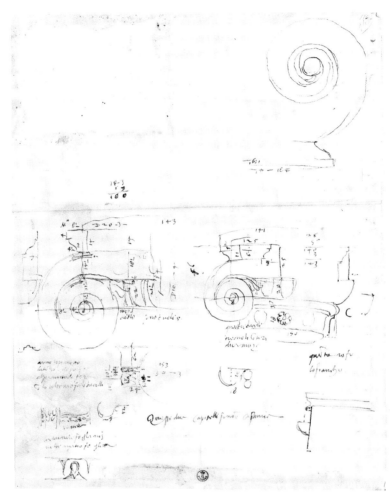

U 1214A *recto*

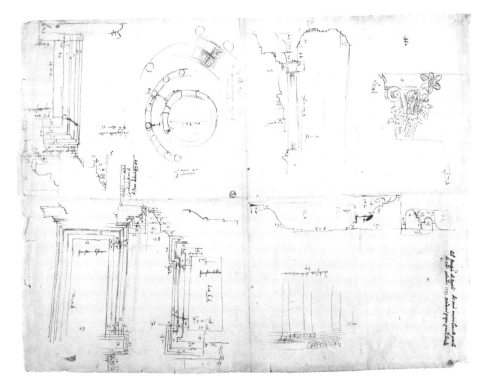

U 1216A *recto*

U 1216A *verso*

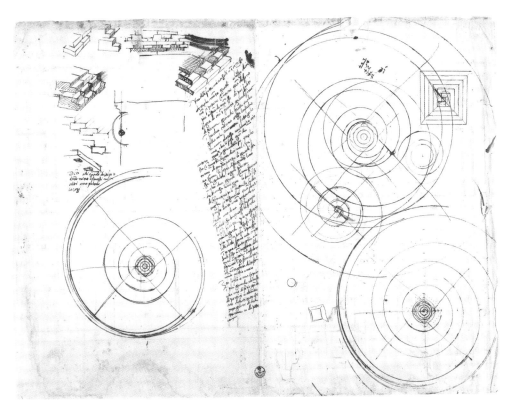

U 1218A *recto*

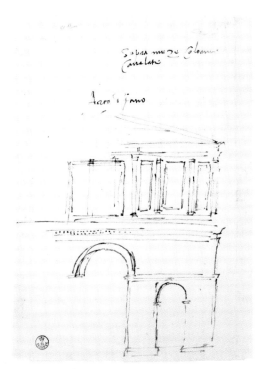

U 1220A *recto*

U 1221A *recto*

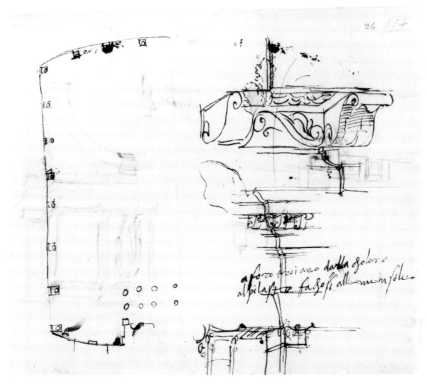

U 1221A *verso*

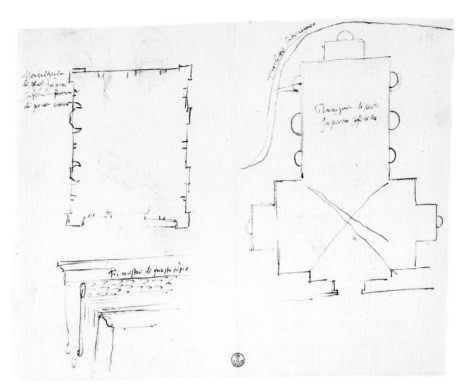

U 1223A *recto*

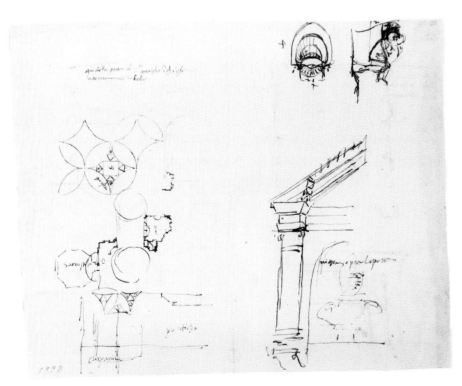

U 1223A *verso*

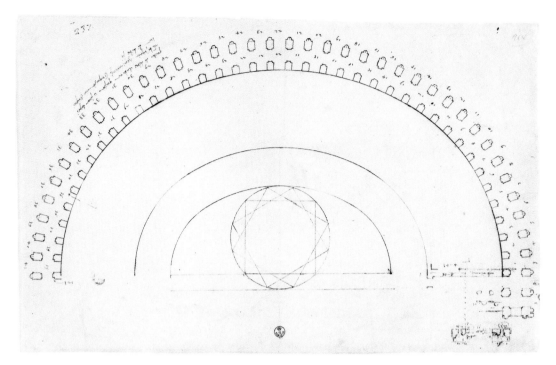

U 1225A *recto*

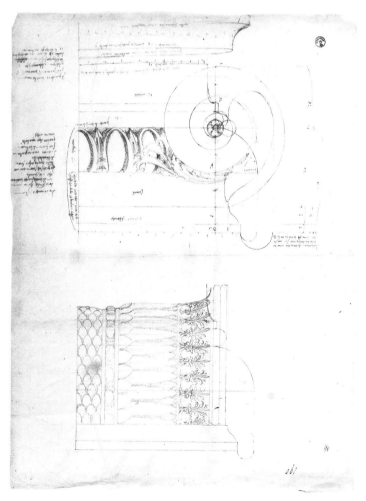

U 1226A *recto*

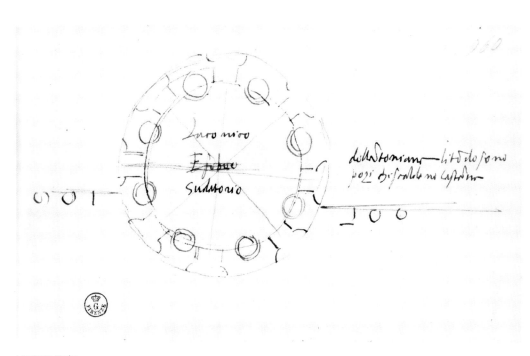

U 1227A *recto*

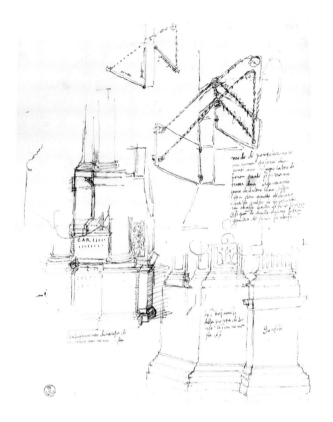

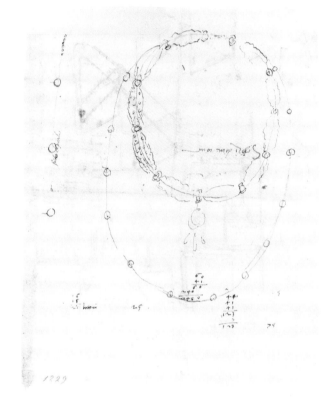

U 1229A *recto*

U 1229A *verso*

U 1231A *recto*

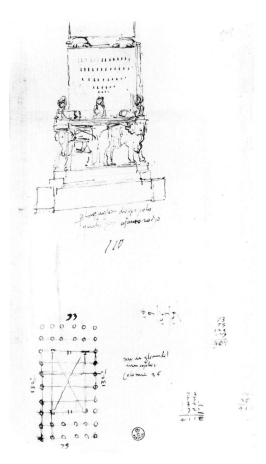

U 1232A *recto*

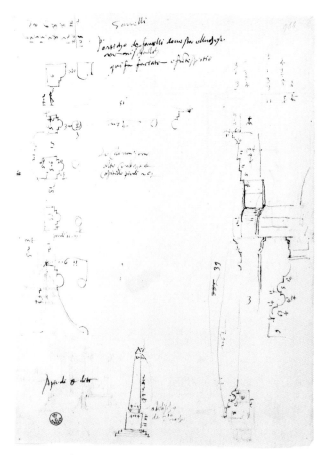

U 1233A *recto*

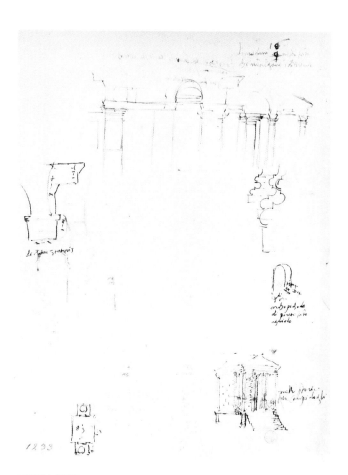

U 1233A *verso*

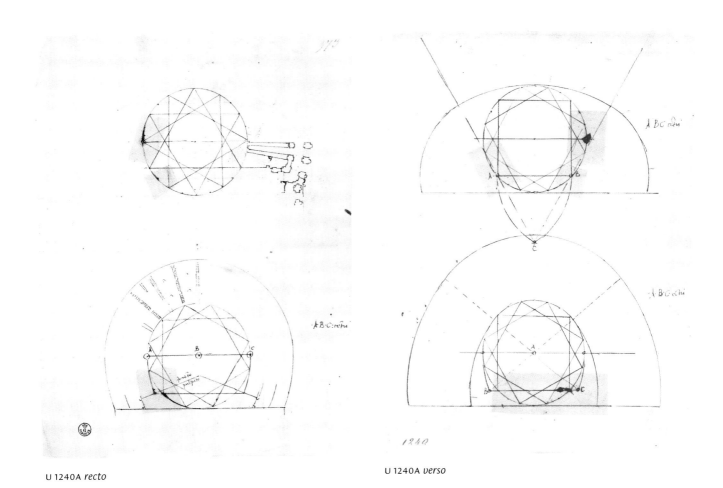

U 1240A *recto*

U 1240A *verso*

U 1243A *recto*

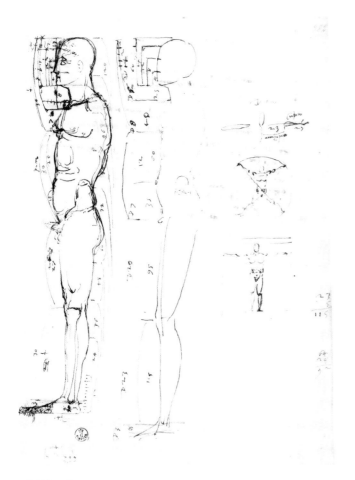

U 1249A *recto*

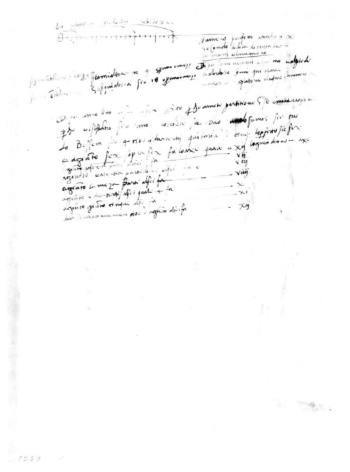

U 1249A *verso*

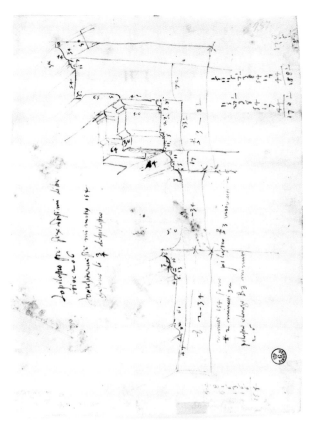

U 1253A *recto*

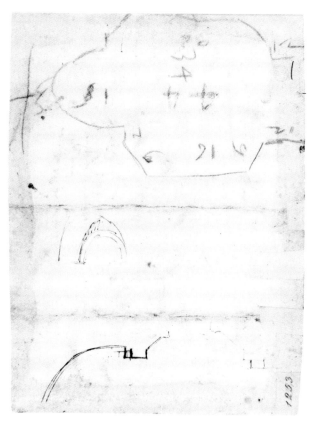

U 1253A *verso*

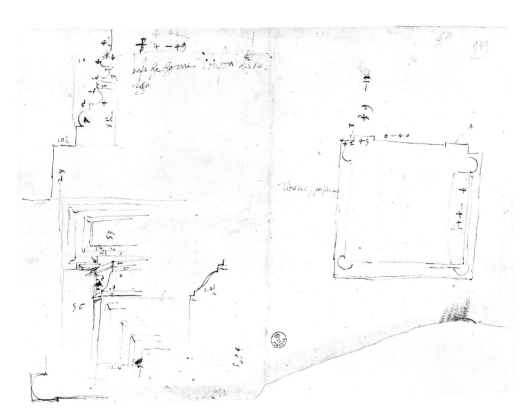

U 1255A *recto*

U 1270A *recto*

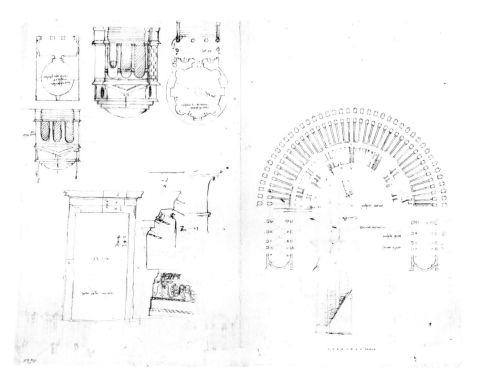

U 1270A *verso*

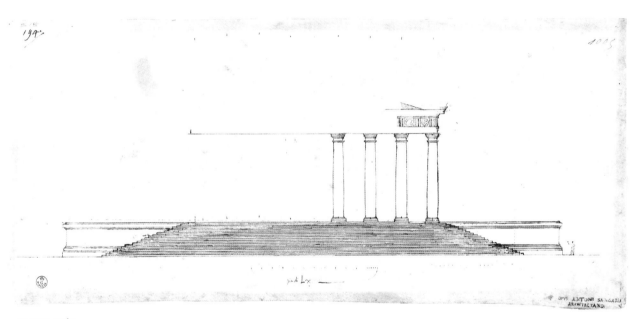

U 1271A *recto*

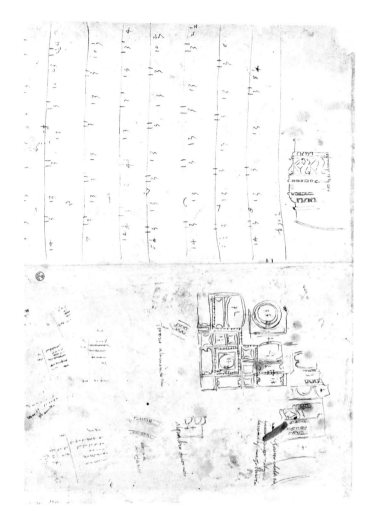

U 1273A *recto*

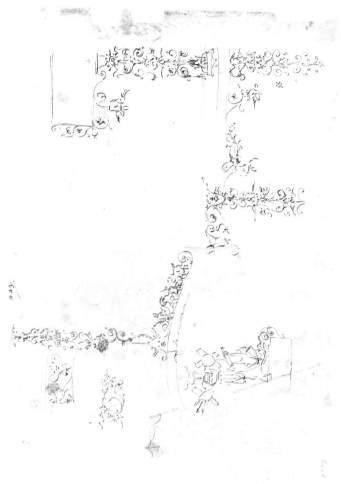

U 1273A *verso*

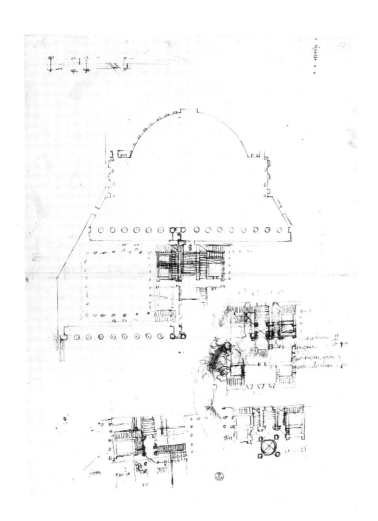

U 1283A *recto*

U 1283A *verso*

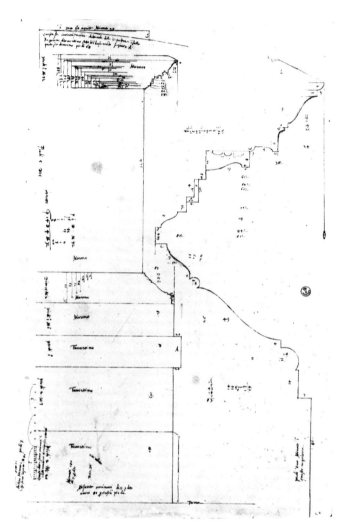

U 1287A *recto*

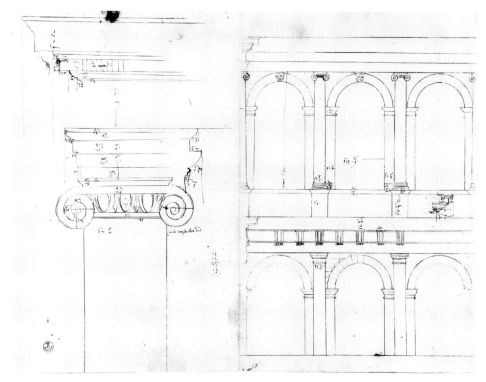

U 1296A *recto*

U 1296A *verso*

U 1299A *recto*

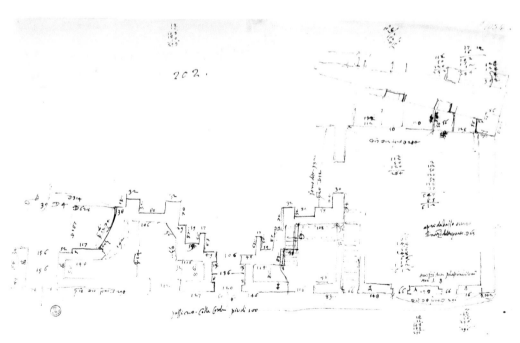

U 1300A *recto*

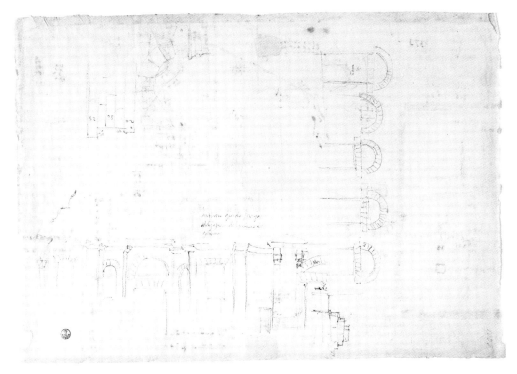

U 1301A *recto*

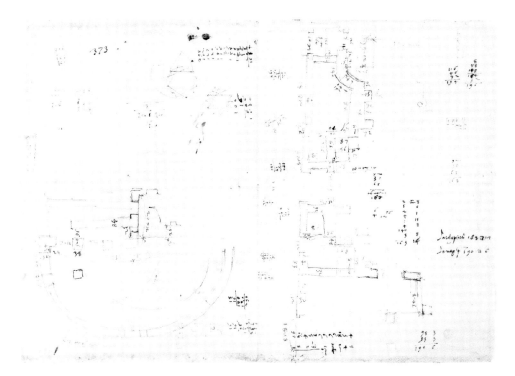

U 1301A *verso*

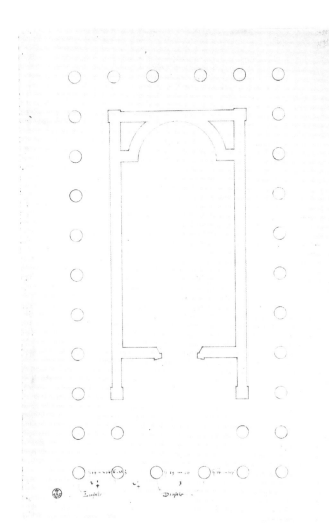

U 1305A *recto*

U 1306A *recto*

146

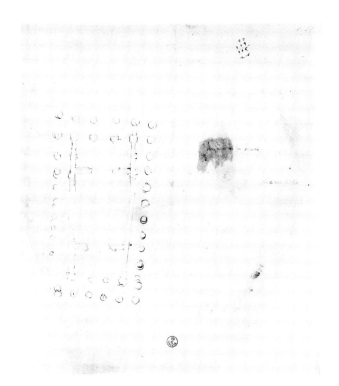

U 1318A *recto*

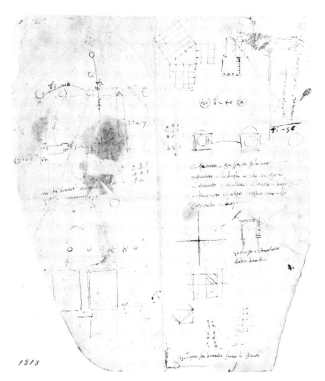

U 1318A *verso*

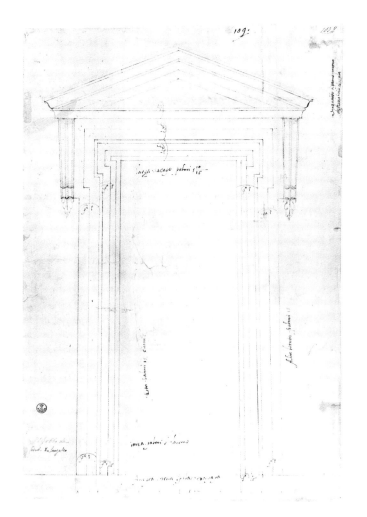

U 1319A *recto*

U 1319A *verso*

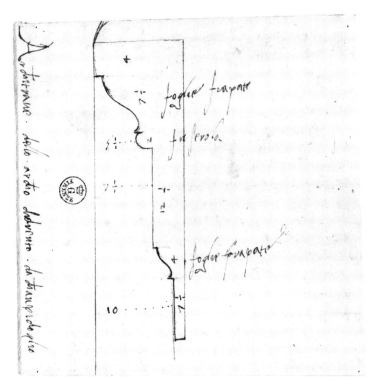

U 1325A *recto*

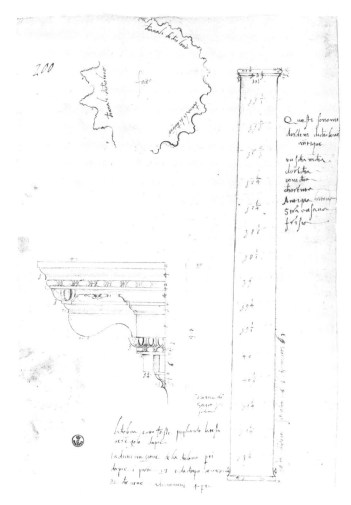

U 1327A *recto*

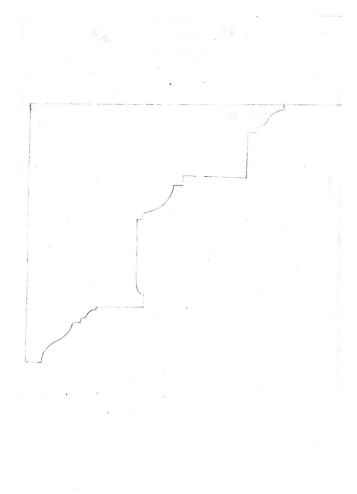

U 1327A *verso*

U 1329A *recto*

U 1335A *recto*

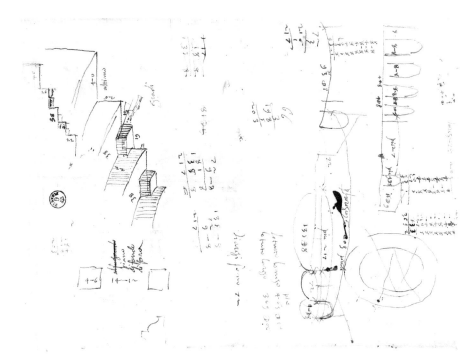

U 1336A *recto*

U 1336A *verso*

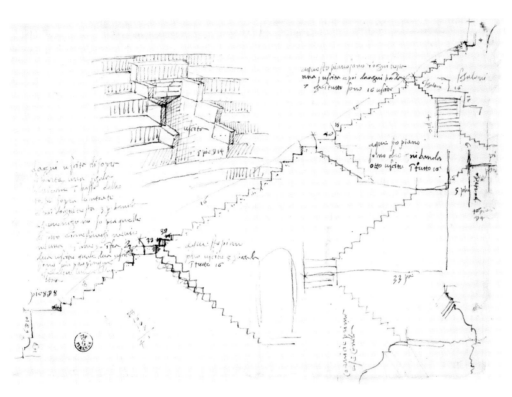

U 1337A *recto*

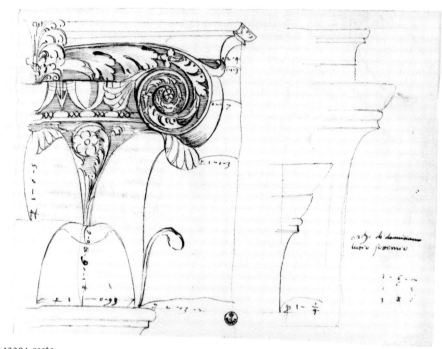

U 1338A *recto*

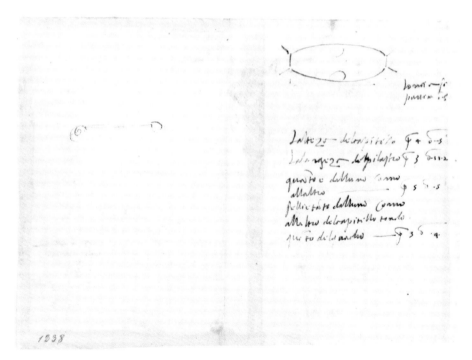

U 1338A *verso*

154

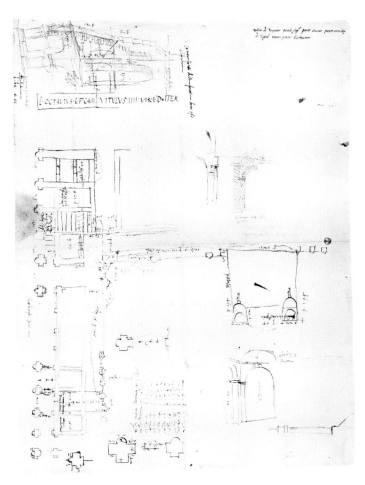

U 1351A *recto*

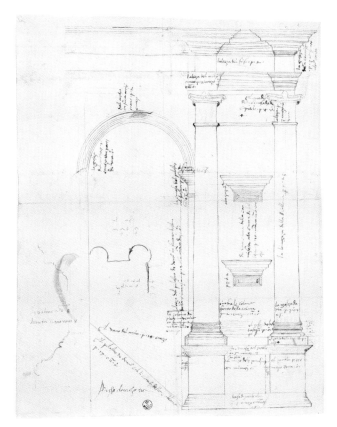

U 1357A *recto*

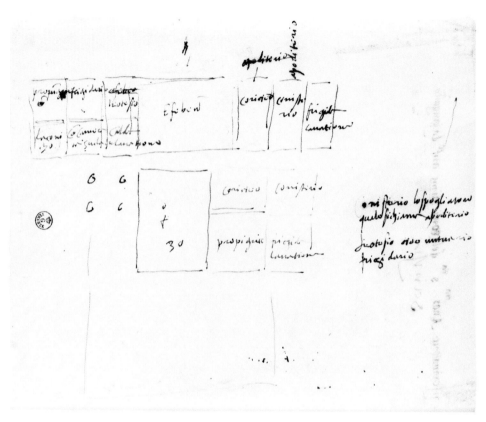

U 1366A *recto*

U 1369A *recto*

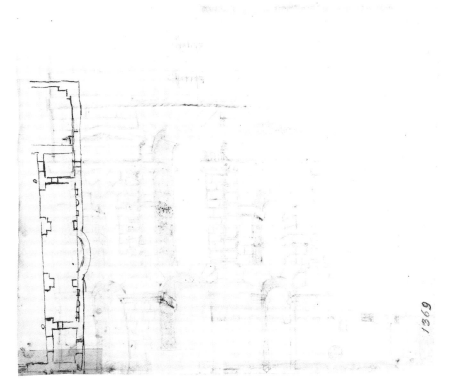

U 1369A *verso*

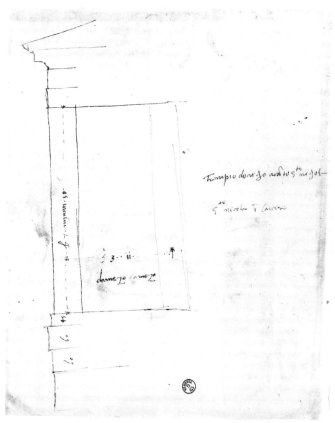

U 1372A *recto*

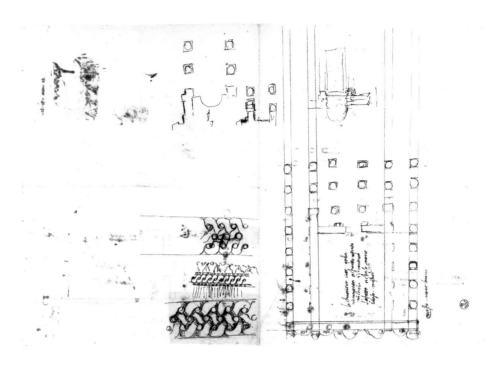

U 1373A *recto*

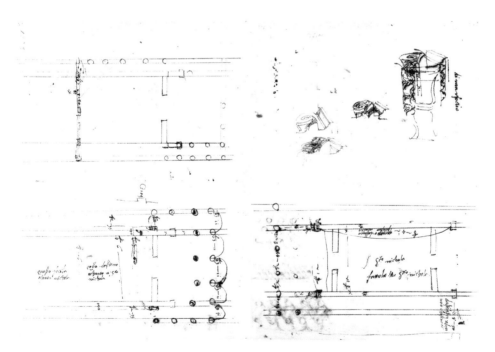

U 1373A *verso*

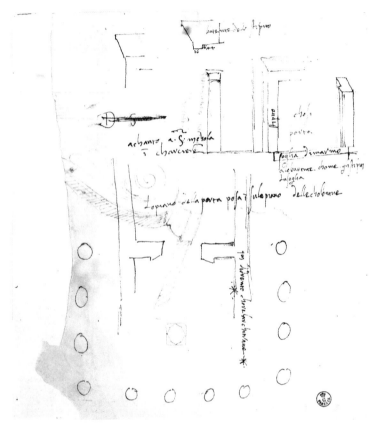

U 1374A *recto*

160

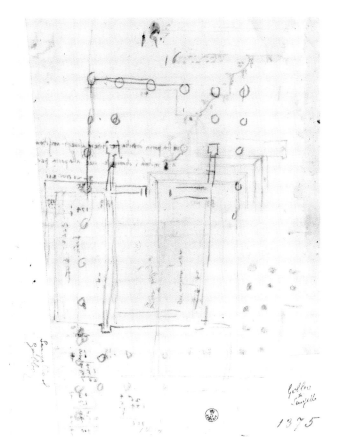

U 1375A *recto*

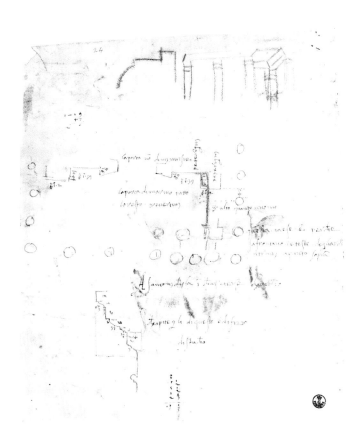

U 1376A *recto*

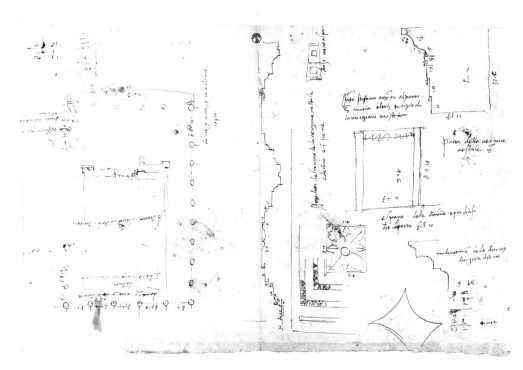

U 1377A *recto*

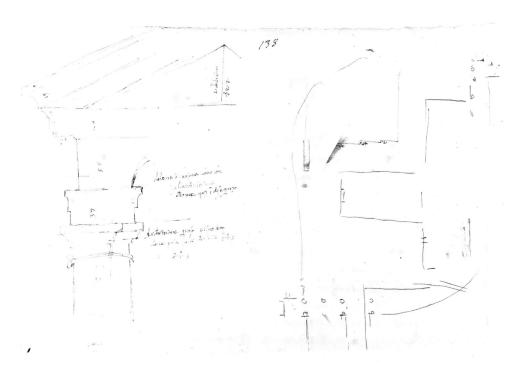

U 1377A *verso*

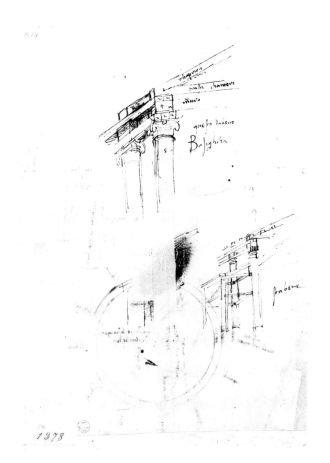

U 1378A *recto*

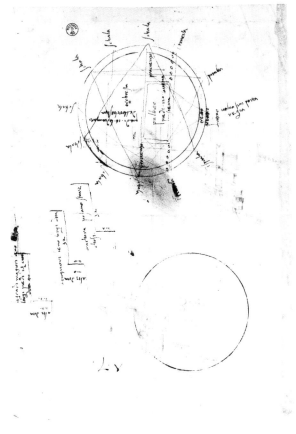

U 1378A *verso*

U 1381A *recto*

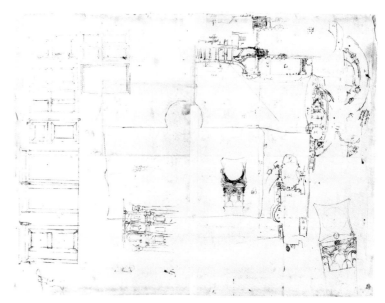

U 1381A *verso*

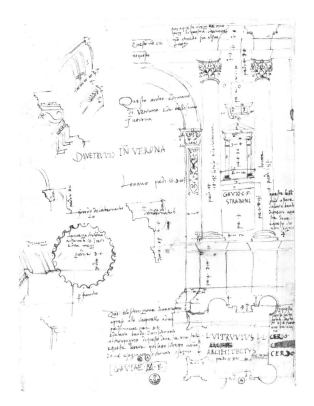

U 1382A *recto*

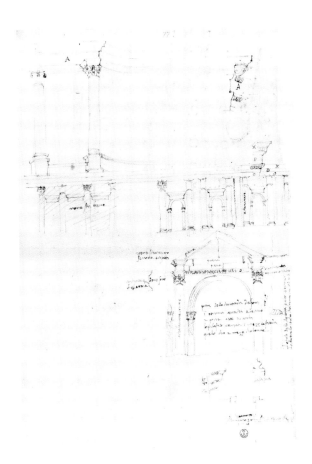

U 1383A *recto*

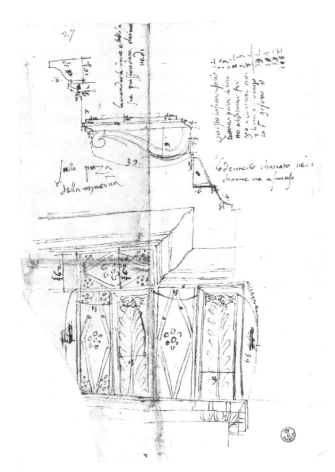

U 1384A *recto*

U 1385A *recto*

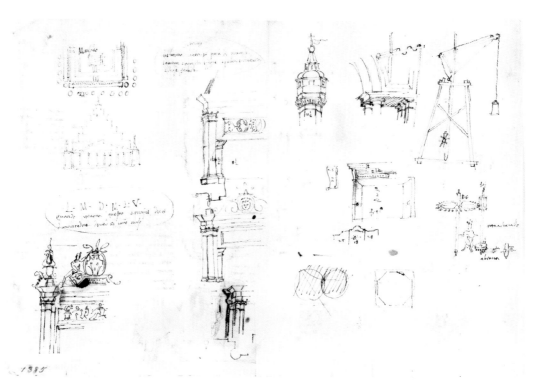

U 1385A *verso*

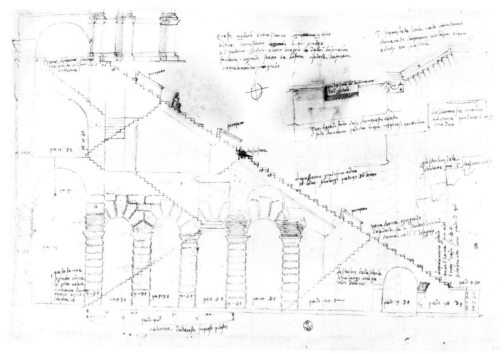

U 1386A *recto*

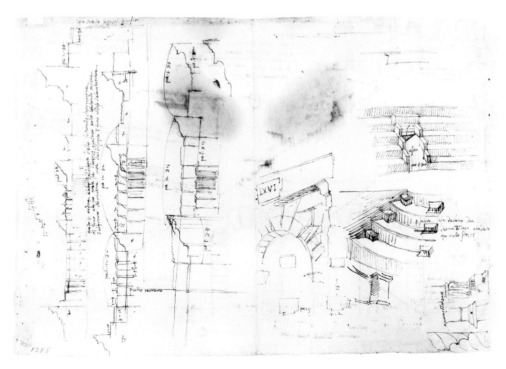

U 1386A *verso*

168

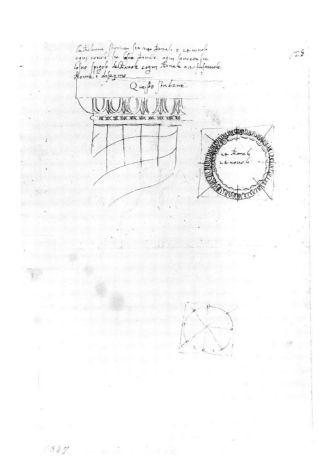

La colonna storta sia arghi tornali e 24 uouoli
ogni uouo e fra loro pianale ogni lancetta fra
losuo spigolo festianale ogni fronale arre fuo uoule
dome i disegno

Quello fa bene

24 tornali
24 uouo .b.

U 1387A *verso*

U 1388A *recto*

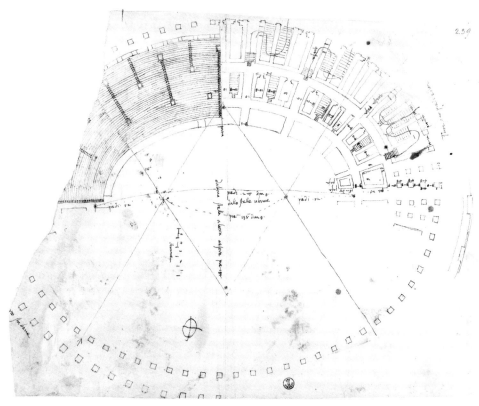

U 1393A *recto*

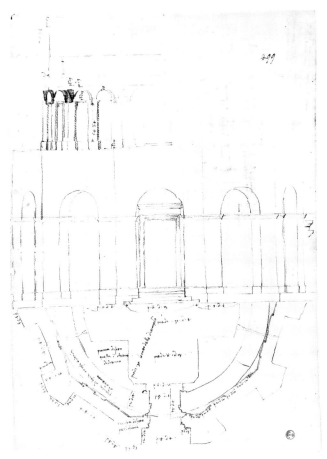

U 1394A *recto*

U 1394A *verso*

U 1402A *recto*

1402

U 1402A *verso*

U 1404A *recto*

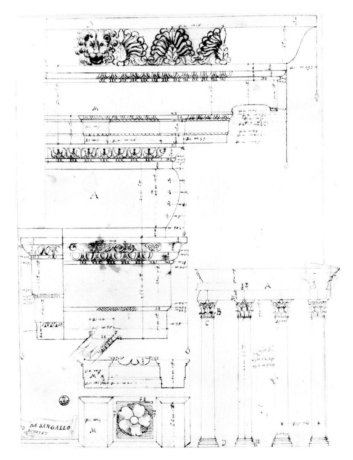

U 1407A *recto*

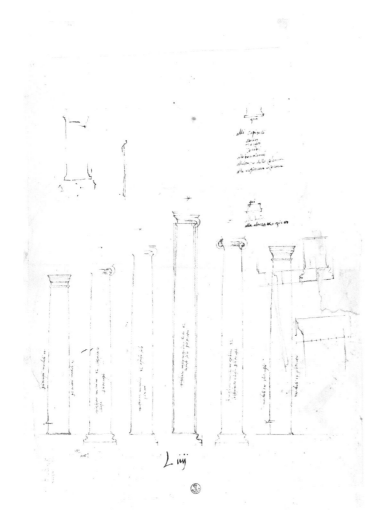

U 1409A *recto*

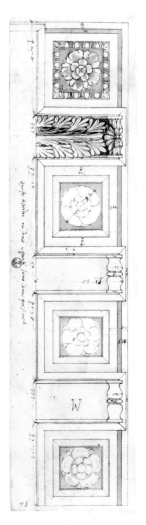

U 1410A *recto*

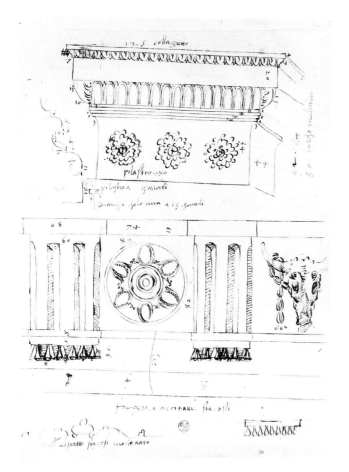

U 1413A *recto*

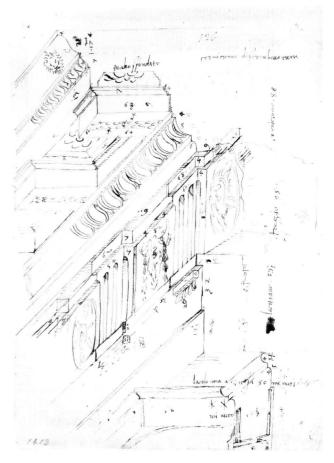

U 1413A *verso*

U 1414A *recto*

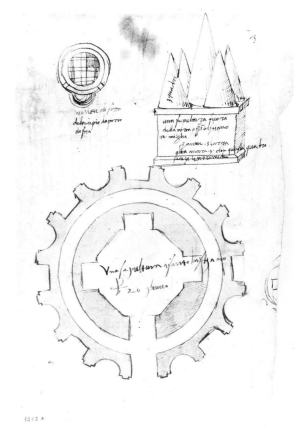

U 1414A *verso*

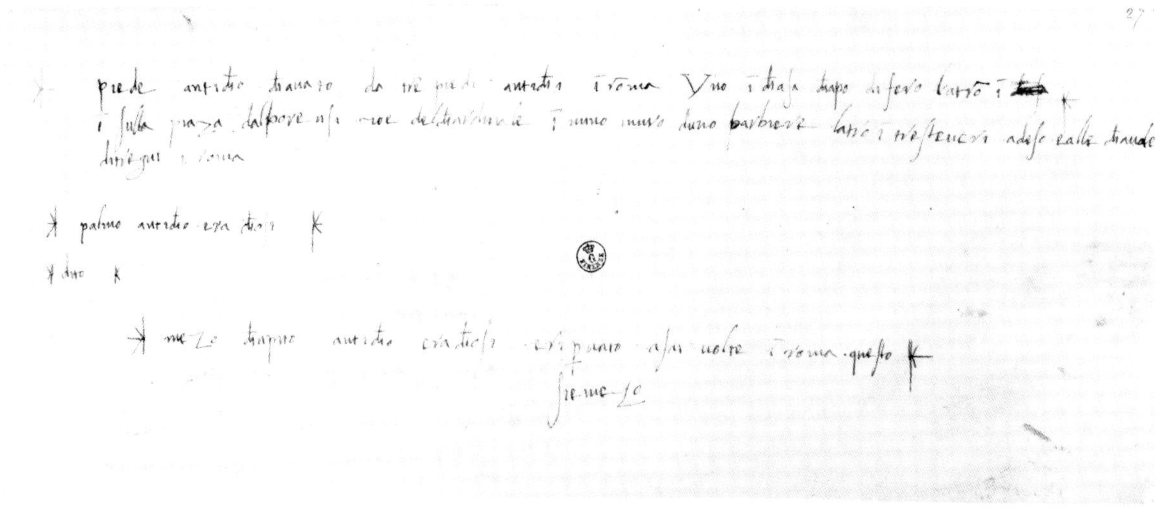

U 1427A *recto*

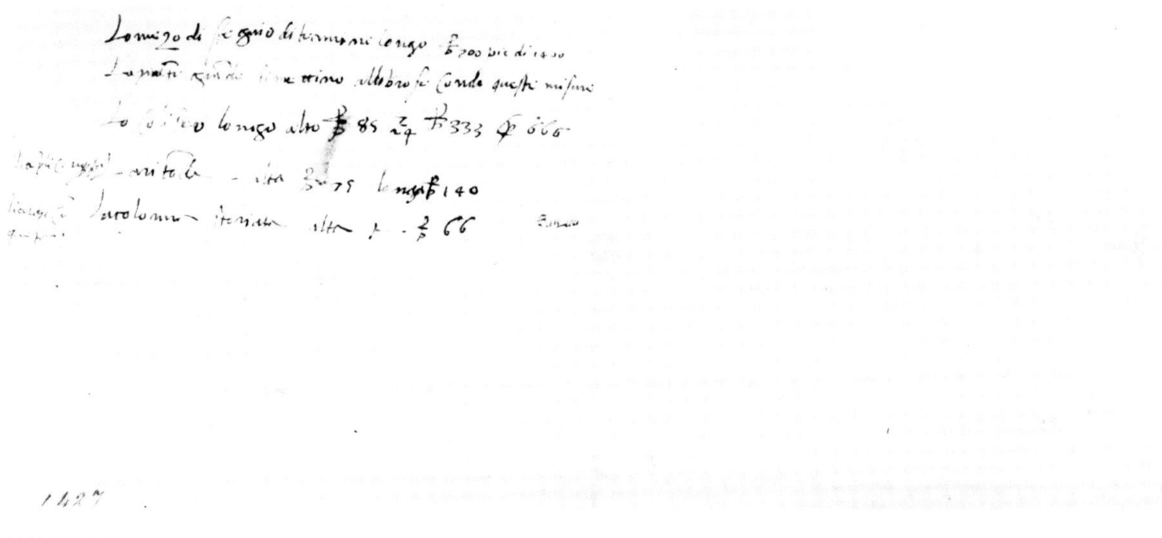

U 1427A *verso*

1427

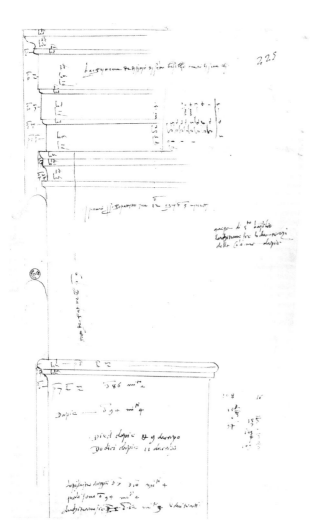

U 1428A *recto*

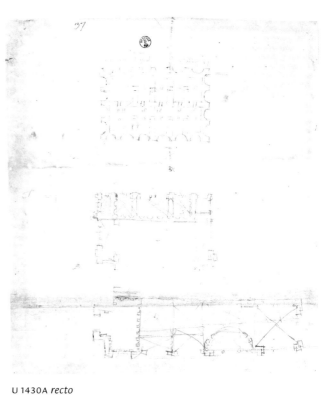

U 1430A *recto*

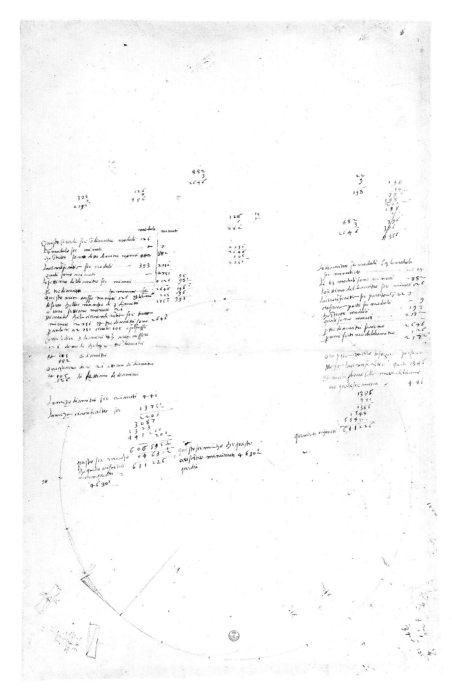

U 1453A *recto*

U 1465A *recto*

U 1465A *verso*

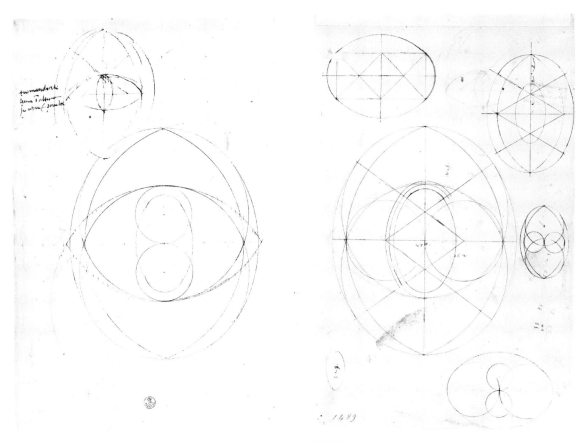

U 1489A *recto*

U 1489A *verso*

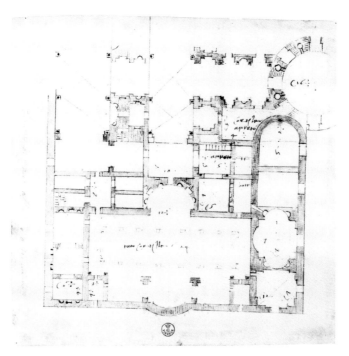

U 1544A *recto*

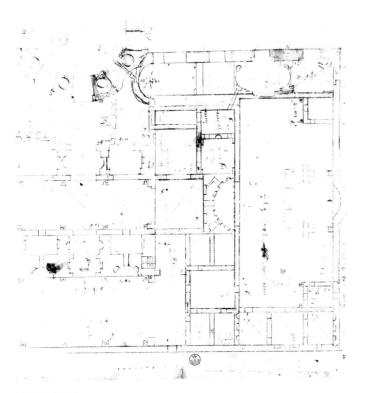

U 1545A *recto*

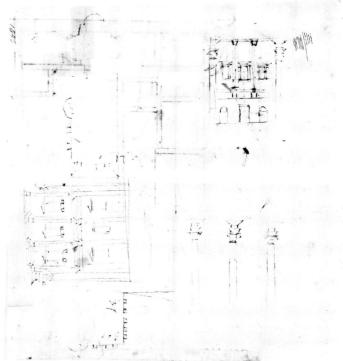

U 1545A *verso*

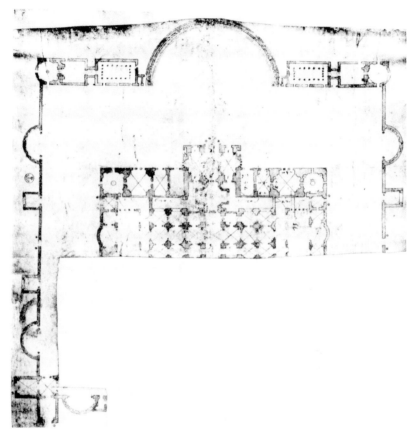

U 1547A *recto*

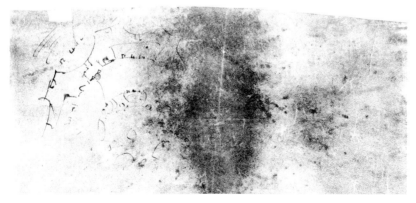

U 1547A *verso*

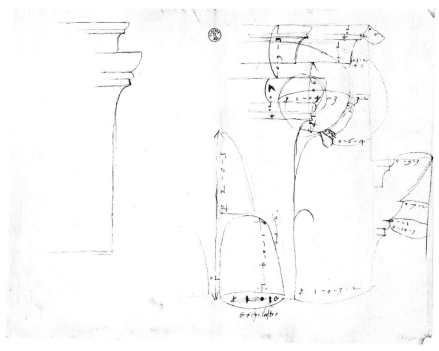

U 1553A *recto*

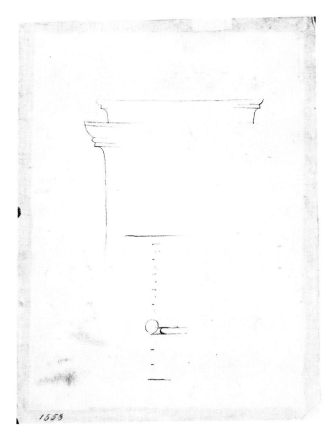

U 1553A *verso*

185

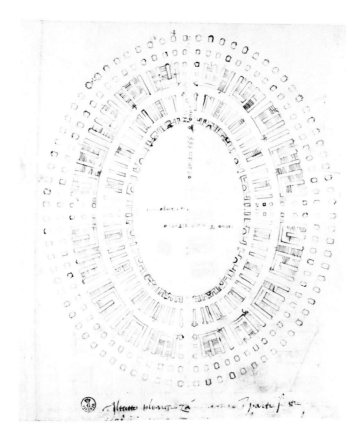

U 1555A *recto*

U 1555A *verso*

U 1565A *recto*

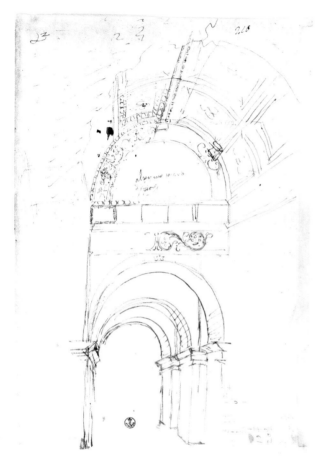

U 1576A *recto*

U 1576A *verso*

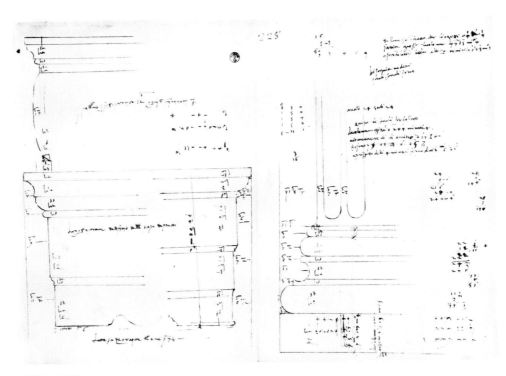

U 1578A *recto*

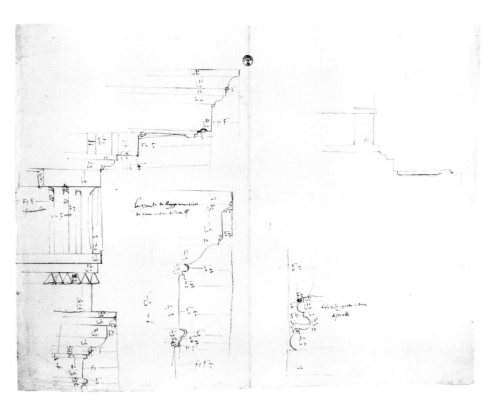

U 1578A *verso*

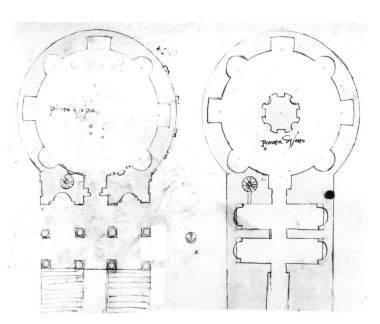

U 1627A *recto*

U 1627A *verso*

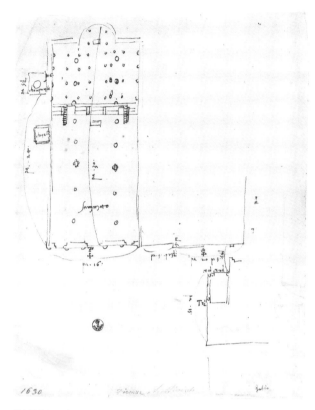

U 1630A *recto*

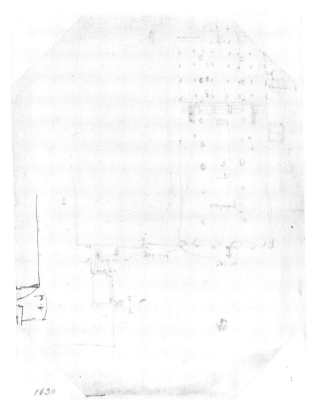

U 1630A *verso*

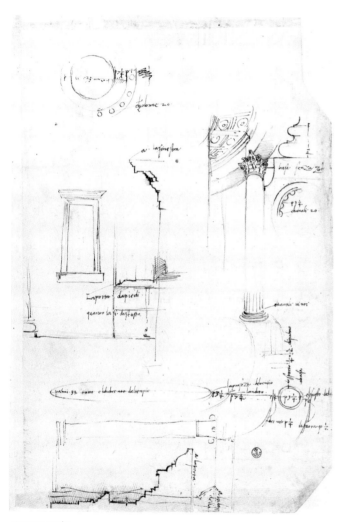

U 1631A *recto*

U 1631A *verso*

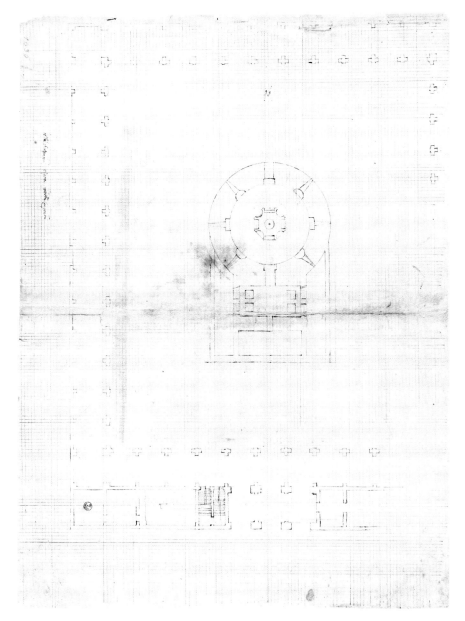

U 1636A *recto*

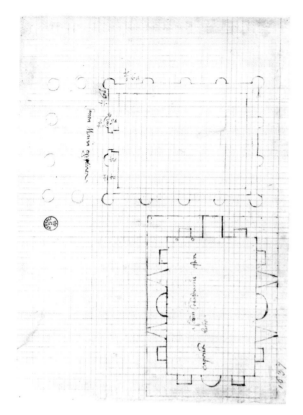

U 1637A *recto*

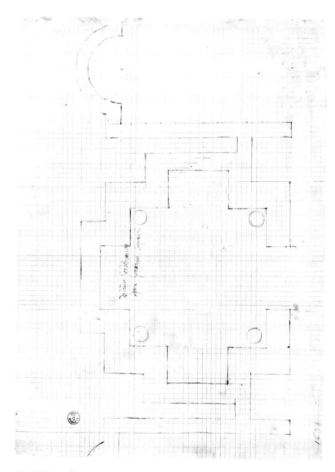

U 1638A *recto*

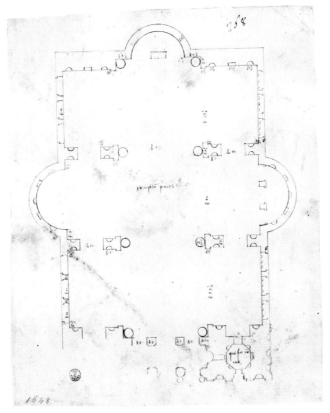

U 1648A *recto*

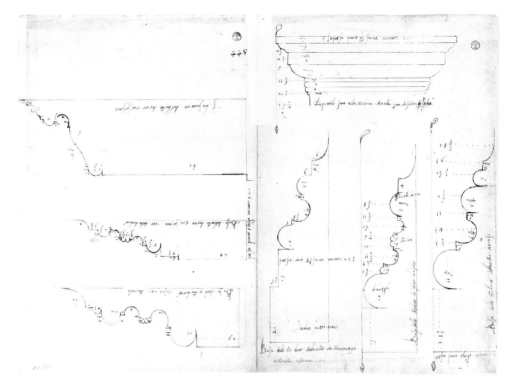

U 1650A *recto*

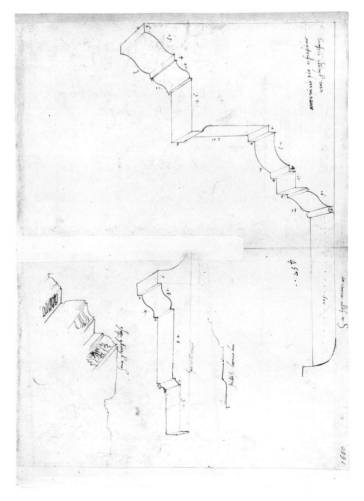

U 1650A *verso*

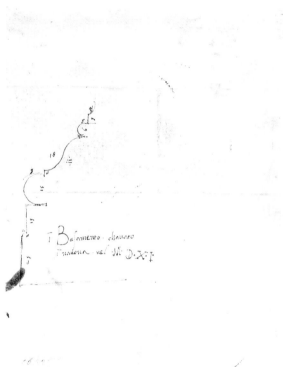

U 1652A *recto*

U 1652A *verso*

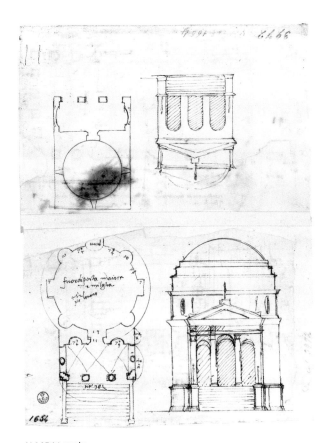

U 1654A *recto*

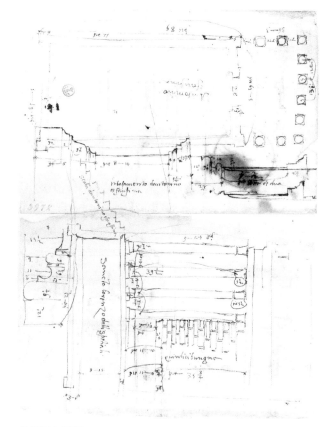

U 1654A *verso*

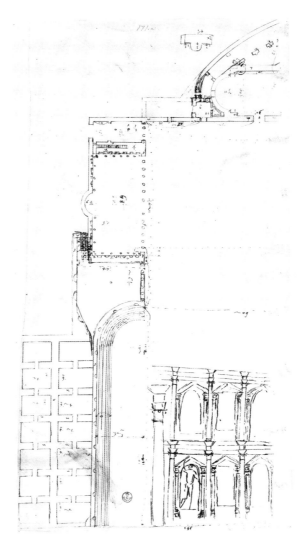

U 1656A *recto*

U 1657A *recto*

U 1657A *verso*

U 1658A *recto*

U 1658A *verso*

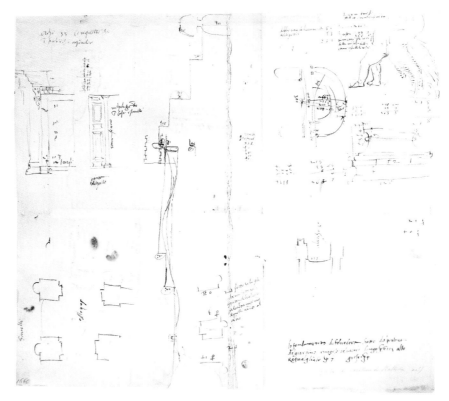

U 1660A *recto*

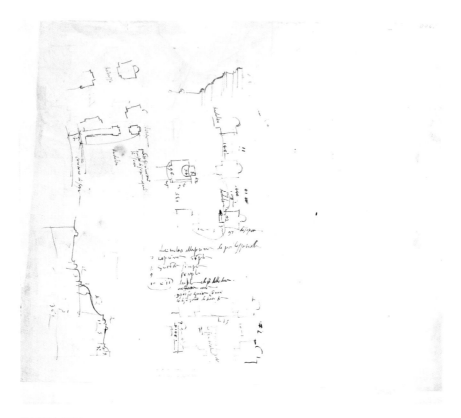

U 1660A *verso*

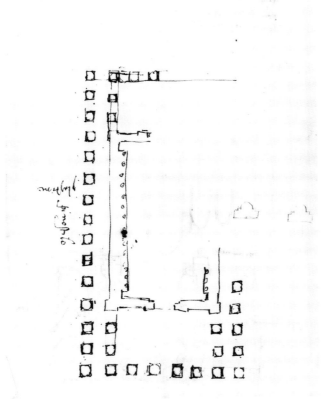

U 1661A *recto*

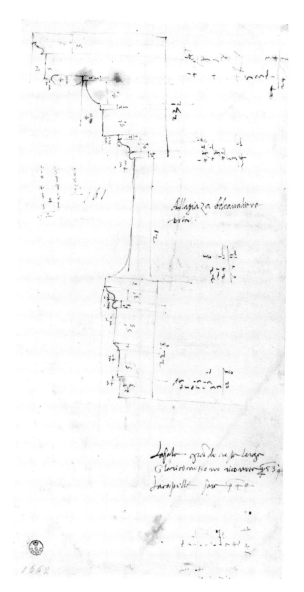

U 1662A *recto*

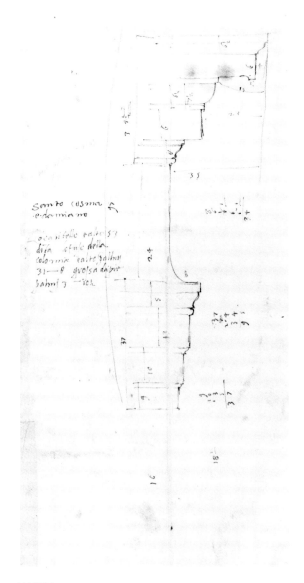

U 1662A *verso*

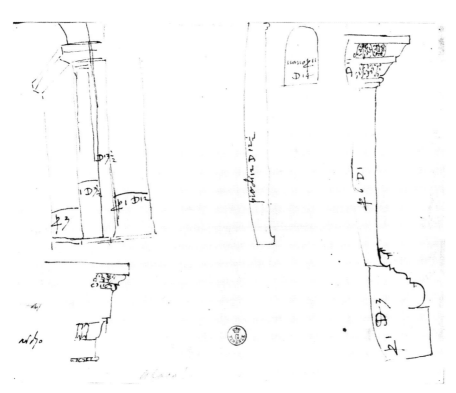

U 1664A *recto*

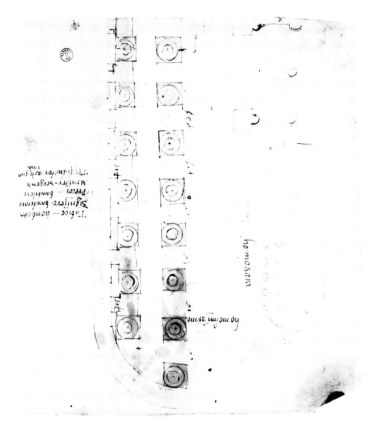

U 1667A *recto*

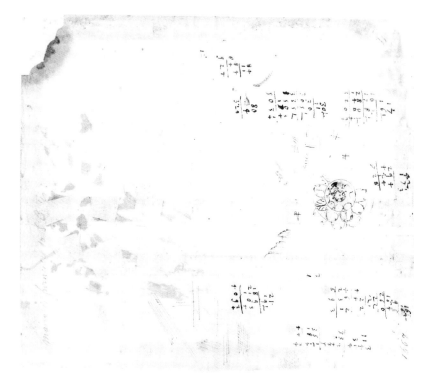

U 1667A *verso*

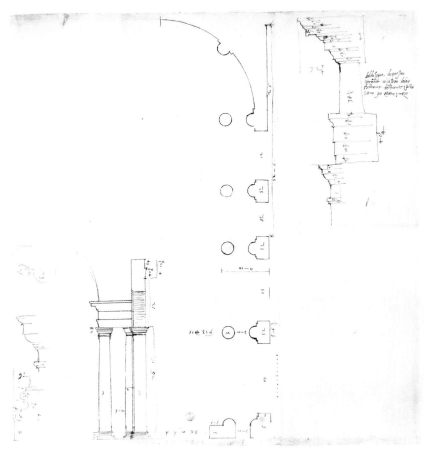

U 1668A *recto*

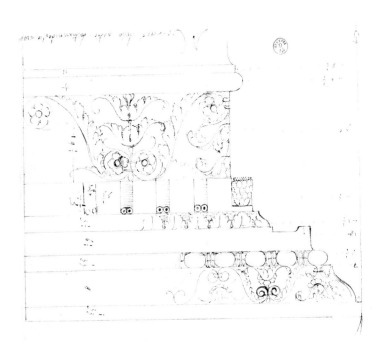

U 1701A *recto*

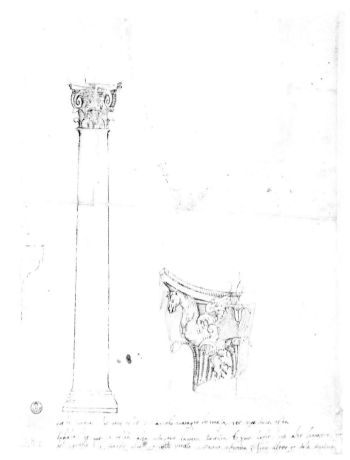

U 1702A *recto*

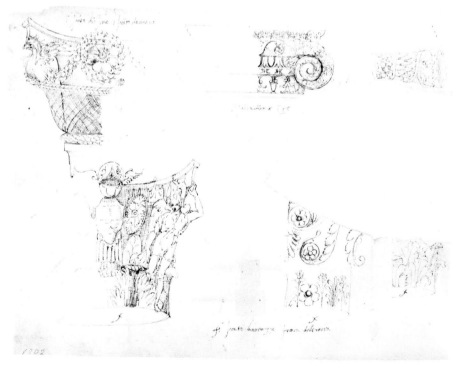

U 1702A *verso*

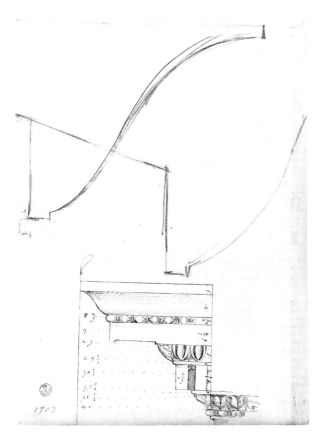

U 1703A *recto*

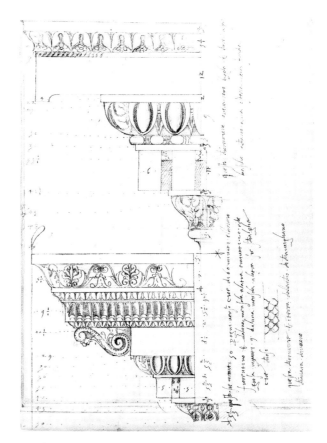

U 1703A *verso*

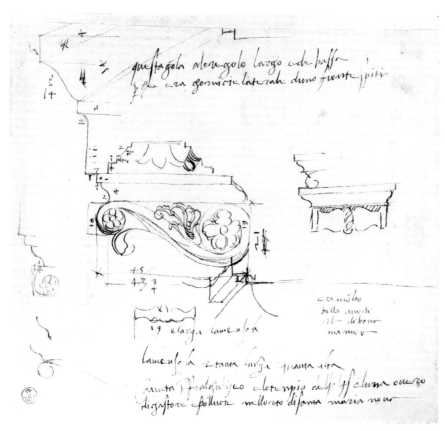

U 1704A *recto*

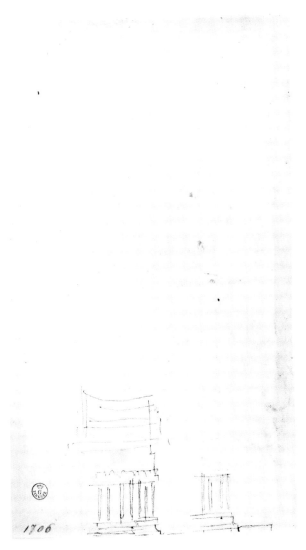

U 1706A *recto*

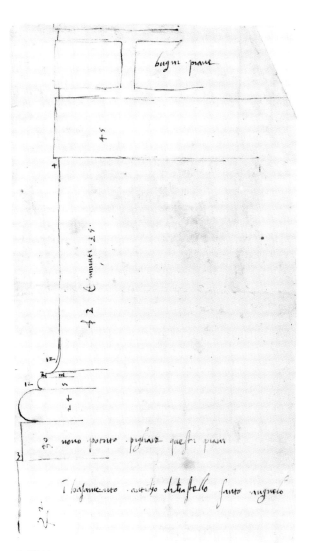

U 1706A *verso*

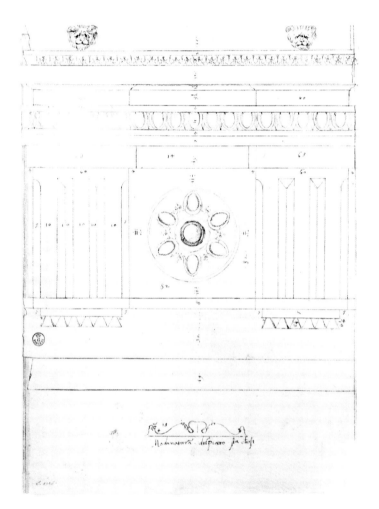

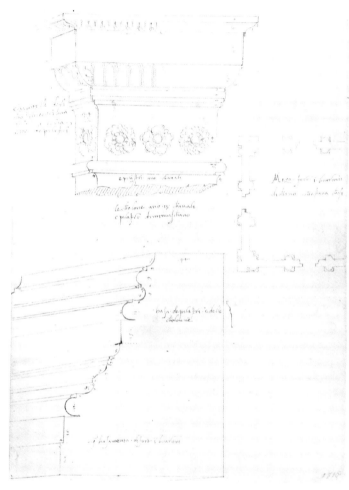

U 1716A *recto*

U 1716A *verso*

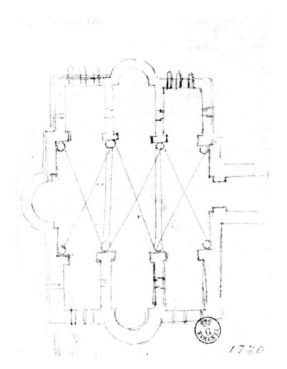

U 1720A *recto*

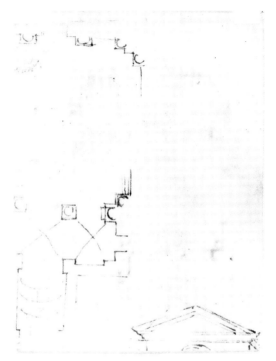

U 1720A *verso*

213

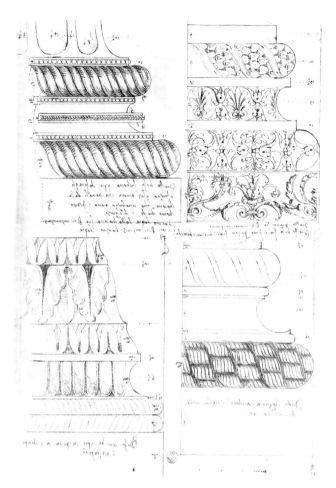

U 1804A *recto*

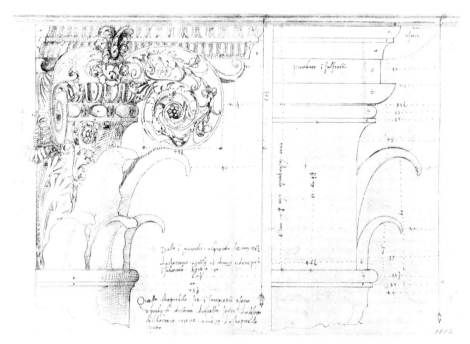

U 1804A *verso*

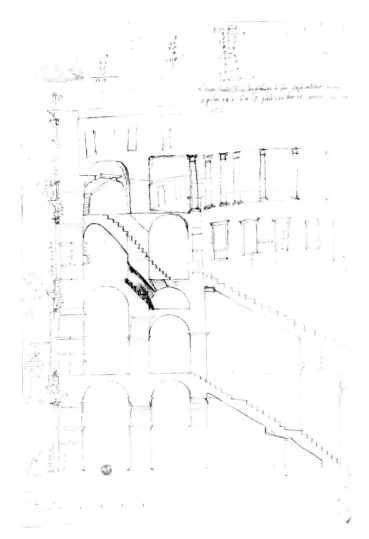

U 1844A *recto*

U 1844A *verso*

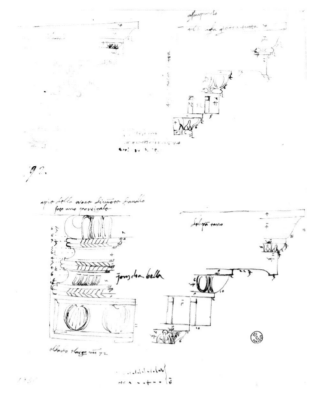

U 1850A *recto*

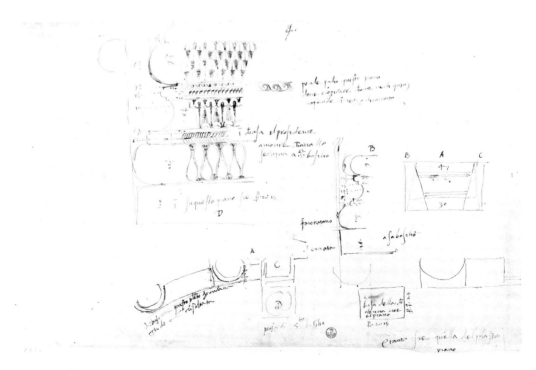

U 1852A *recto*

U 1856A *recto*

U 1856A *verso*

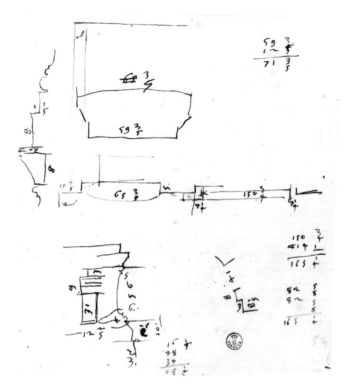

U 1865A *recto*

218

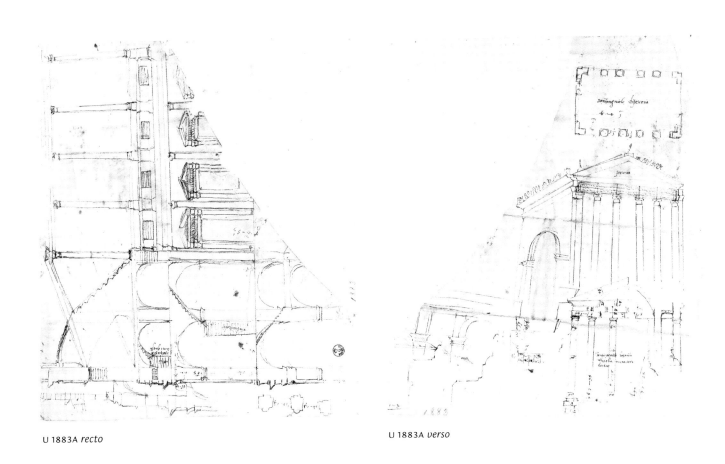

U 1883A *recto*

U 1883A *verso*

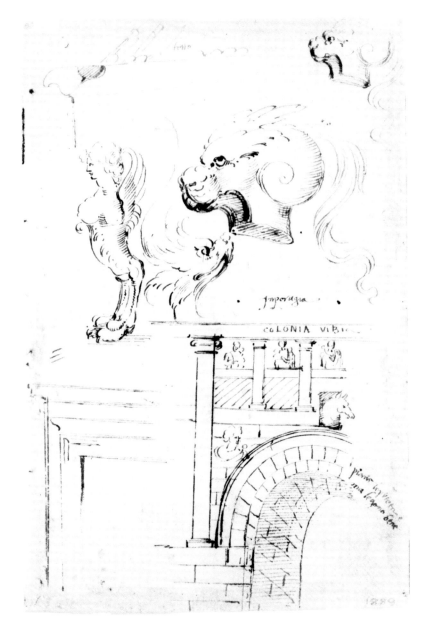

U 1889A *verso*

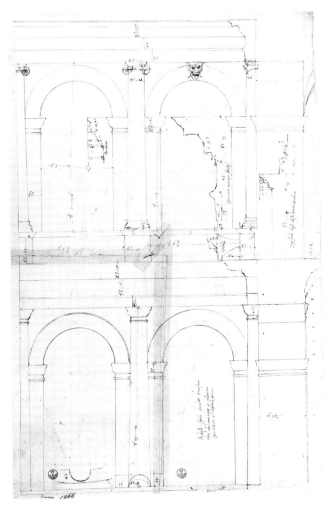

U 1966A *recto*

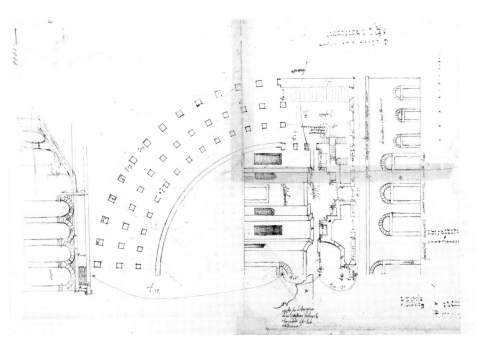

U 1966A *verso*

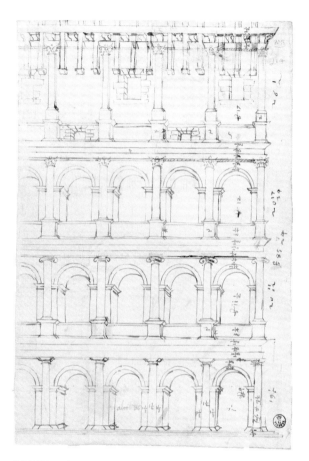

U 2043A *recto*

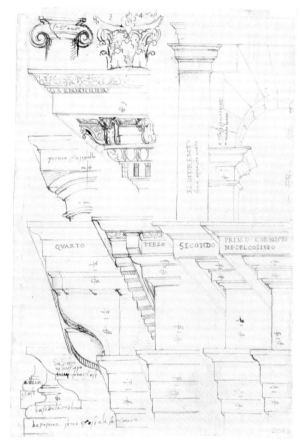

U 2043A *verso*

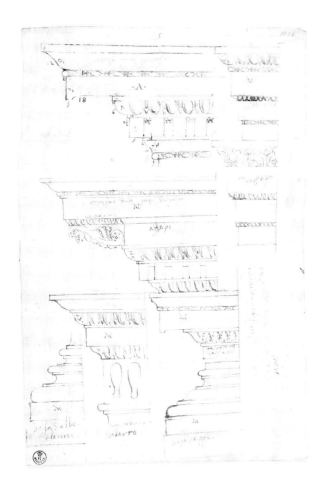

U 2044A *recto*

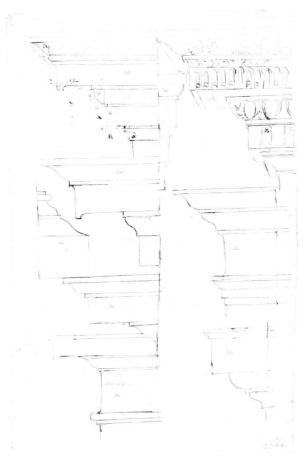

U 2044A *verso*

U 2045A *recto*

U 2045A *verso*

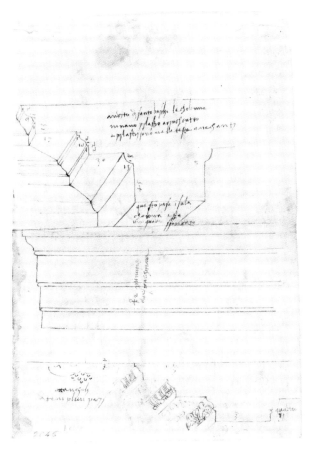

U 2046A *recto*

U 2046A *verso*

U 2047A *recto*

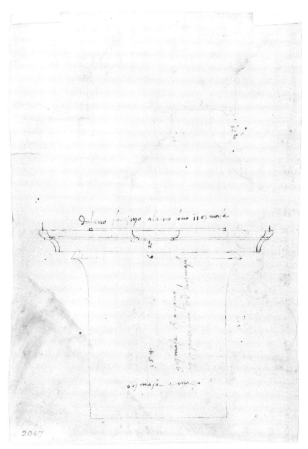

U 2047A *verso*

U 2054A *recto*

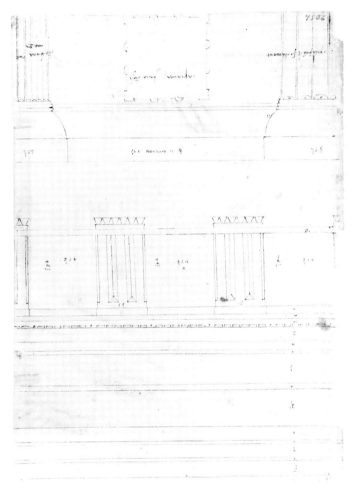

U 2054A *verso*

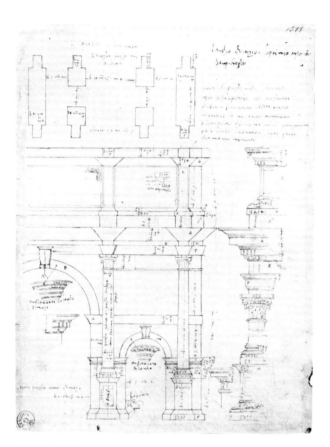

U 2055A *recto*

U 2055A *verso*

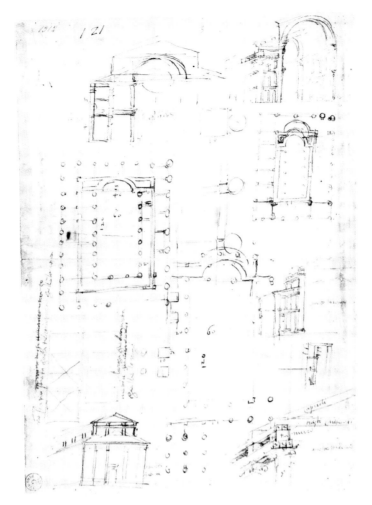

U 2056A *recto*

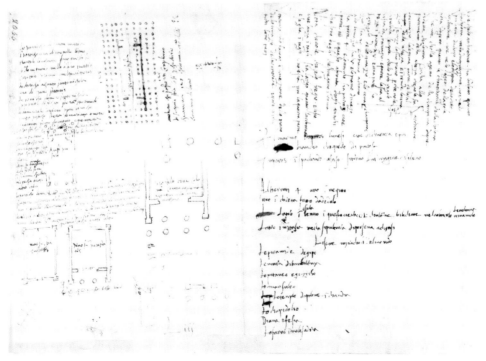

U 2056A *verso*

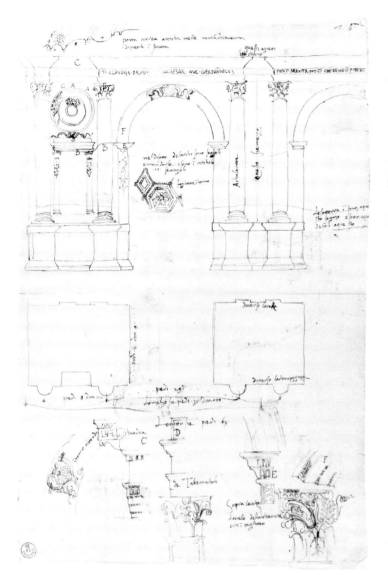

U 2057A *recto*

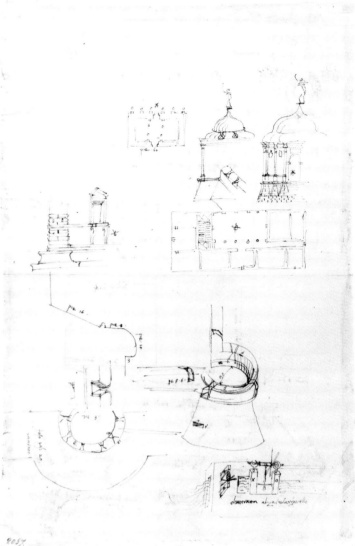

U 2057A *verso*

230

IMPERATOR
CAESAR · AVGV
VESPASIANVS IMP VI POT
TRIB POT IV CENSOR COS
IV DESIG V AVCTIS P R FINIB
POMERIVM AMPLIAVERVN
TERMINAVERVIT

AVCTIS · P · R ·
auctoritatis populi Romani

U 2084A *recto*

IMP · CAESAR
VESPASIVS AVG
PONTIF MAX TRIBVNIC
POTEST VI IMP XIIII P P
COS VI DESIG VII CENSOR
LOCVM VINIAE PVBLICAE
OCCVPATVM A PRIVATIS
PER COLLEGIVM PONTIFICVM
RESTITVIT

U 2084A *verso*

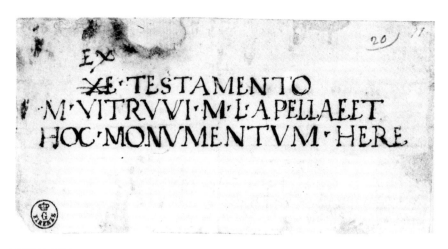

U 2086A *recto*

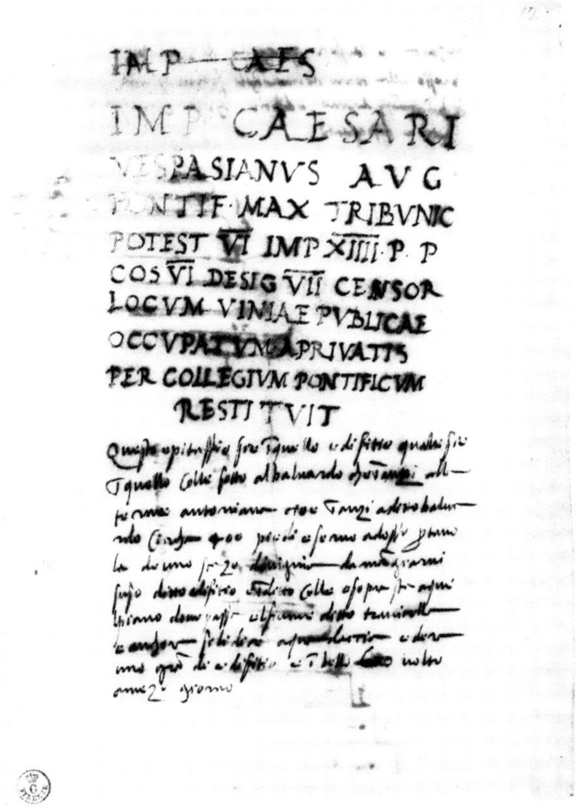

IMP CAES
IMP CAESARI
VESPASIANVS AVG
PONTIF MAX TRIBVNIC
POTEST VI IMP XIIII P P
COS VI DESIG VII CENSOR
LOCVM VINIAE PVBLICAE
OCCVPATVM A PRIVATIS
PER COLLEGIVM PONTIFICVM
RESTITVIT

U 2087A *recto*

U 2087A *verso*

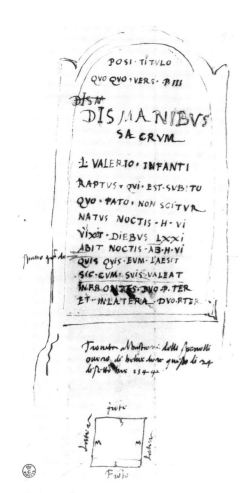

POSI · TITVLO
QVO QVO · VERS · P · III

DIS M

DIS MA NIBVS
SA CRVM

L · VALERIO · INFANTI
RAPTVS · QVI · EST · SVBITO
QVO · FATO · NON · SCITVR
NATVS · NOCTIS · H · VI
VIXIT · DIEBVS · LXXI
ABIT · NOCTIS · AB · H · VI
QVIS QVIS · EVM · LAESIT
SIC · CVM · SVIS · VALEAT
INFRONTES · DVO · P · TER
ET · INLATERA · DVO · P · TER

U 2095A *recto*   U 2095A *verso*

U 2096A *recto*

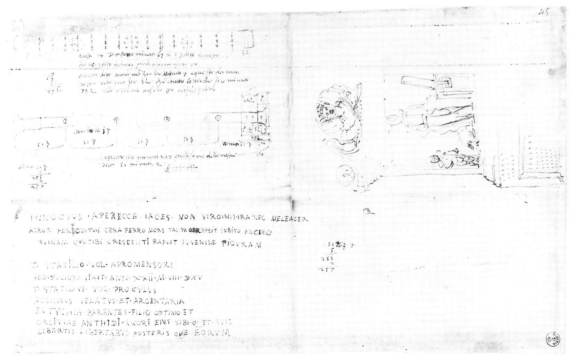

U 2098A *recto*

B   M

FLAVIO AVRELIANO
VETERANO QVI VIXIT
ANNIS LXII MESES V
DIES VI VALERIA
VIATORINA CONIVCI
DVLCISSIMO ET FLA
VIVS CALLIDIVS PATRI
BENE MERENTI POSVERVNT

U 2099A *recto*

EXAVCTORITATE
IMP CAESARIS DIVI
TRAIANI PARTHICI F
DIVI NERVAE NEPOTIS
TRAIANI HADRIANI
AVG PONTIF MAX TRIB
POTEST V IM P IIII COS III
IMESSIVS RVSTICVS CVRATOR
ALVEI ET RIPARVM TIBERIS ET
CLOACA RVM VRBIS RESTITVIT
SECVNDVM PRAECEDENTEM
TERMINATIONEM PROXIM CI PP
PED CXVS

EXAVCTOR

MAGINVM DOMVS
AGV CVLTORIB SIGNVM
LIBERTATIS RESTITVTAE
SER GALBAE INPERATORIS AGV
CVRATORES ANNI SECVNDI
C TVRRANIVS POLYBIVS
L CALPVRNIVS ZENA
C MVRDIVS LALVS
C TVRRANIVS FLORVS
C MVRDINVS DEMOSTHENES
S P P D

DEDIC IDIB OTOBR
C BELLICO NATALE
P CORNELIO SIPIONE ASIATICO COS

U 2103A *recto*

VERONAE · IN ＜Greek characters＞

COLONIA AVGVSTA VERONA NOVA
  GALLIENIANA   VALERIANO · II · ET
  LVCILLO · COSS · MVRI VERONENSIVM
  FABRICATI · EX · DIE · III · NON · APRILIVM

DEDICATI · PR · NON · DECEMBR ·
  IVBENTE · SANCTISSIMO · GALLIENO
  AVG · N̄ · INSISTENTE · AVR · MARCELLINO
  V · P · DVC · DVC · CVRANTE · IVL · MARCELLINO

In ＜Greek characters＞

LUPA
KAI
TYXH ·

U 2114A *recto*

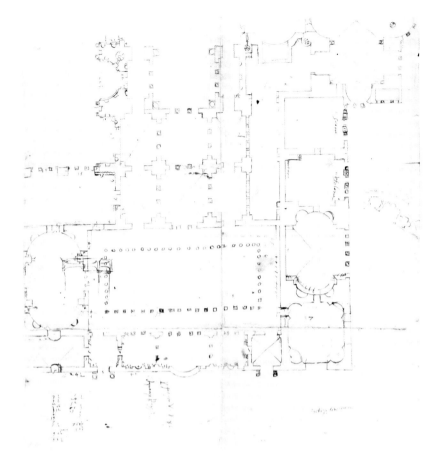

U 2134A *recto*

U 2134A *verso*

U 2143A *recto*

U 2143A *verso*

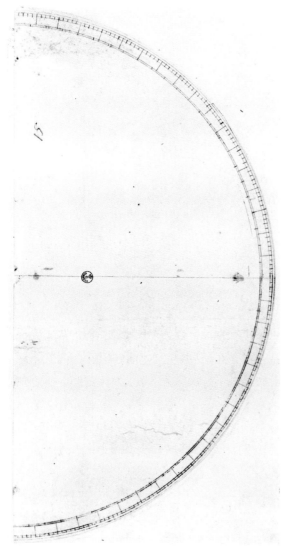

U 2147A *recto*

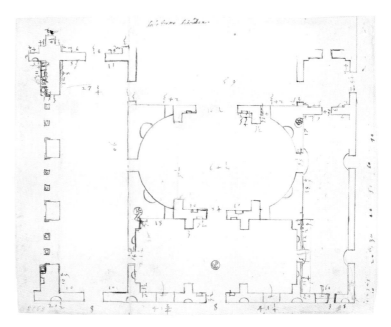

U 2162A *recto*

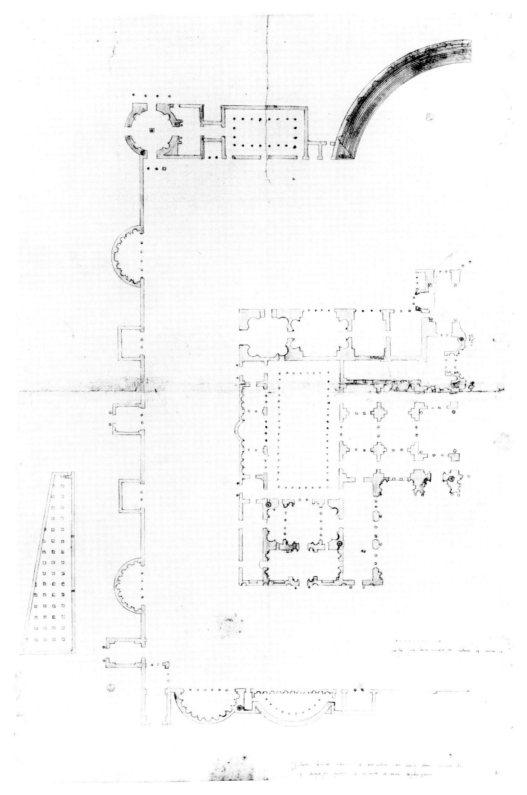

U 2163A *recto*

U 3944A *recto*

U 3944A *verso*

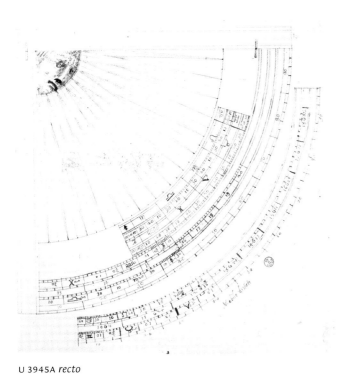

U 3945A *recto*

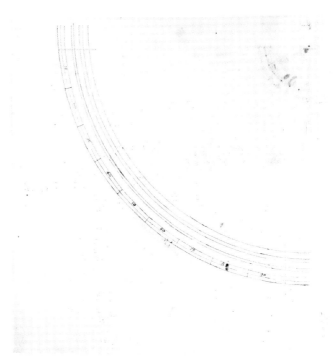

U 3945A *verso*

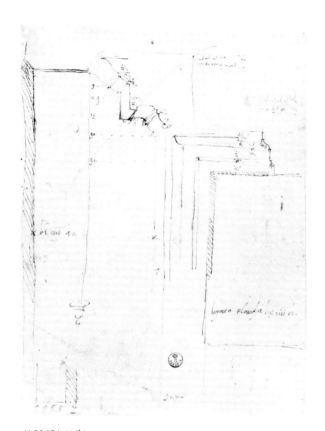

U 3965A *recto*

U 3965A *verso*

U 3966A *recto*

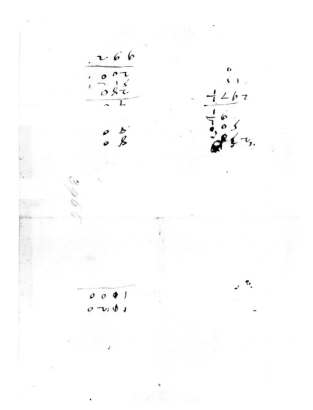

U 3966A *verso*

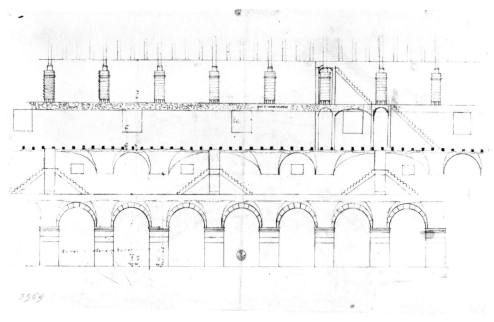

U 3969A *recto*

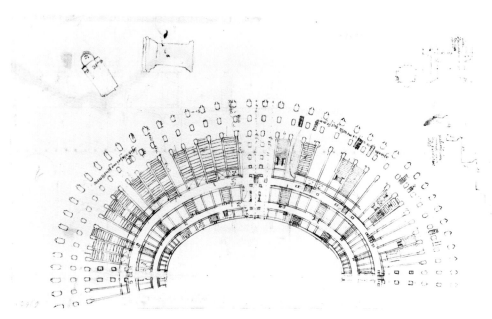

U 3969A *verso*

246

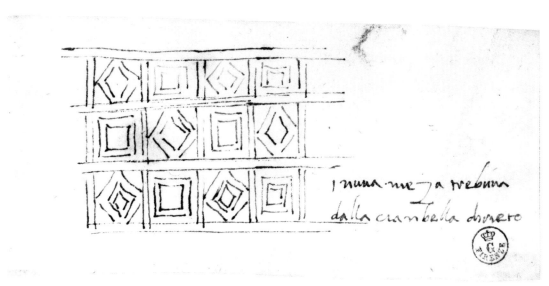

U 3973A *recto*

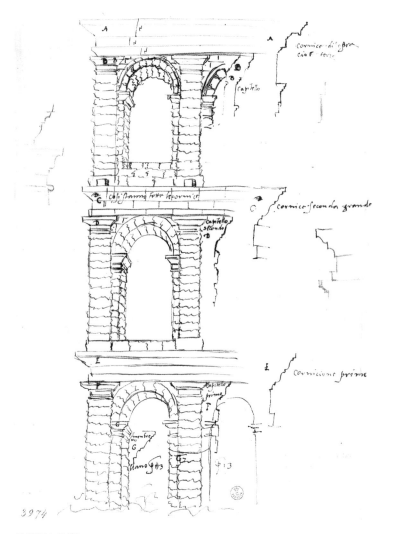

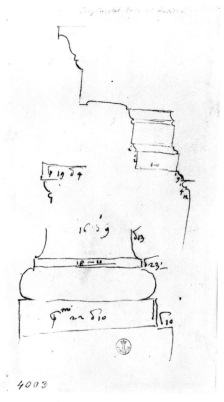

U 3974A *recto*

U 4003A *recto*

248

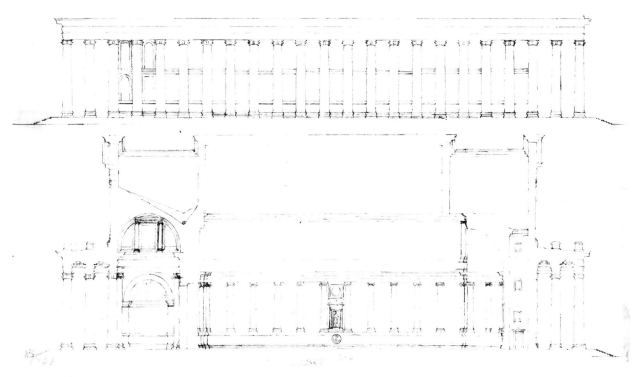

U 4039A *recto*

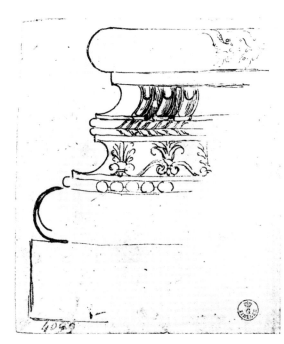

U 4099A *recto*

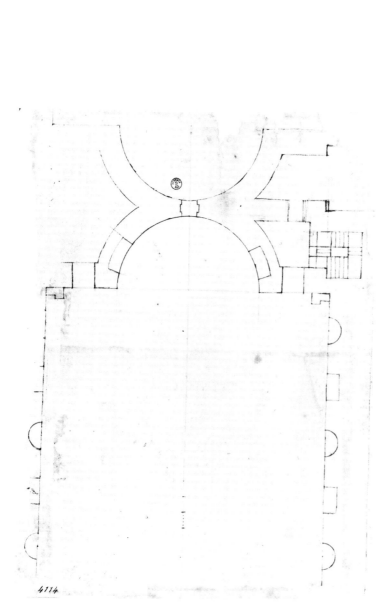

U 4114A *recto*

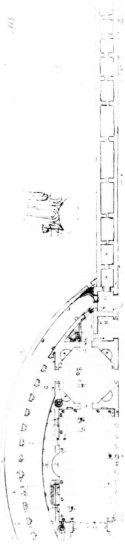

U 4117A *recto*

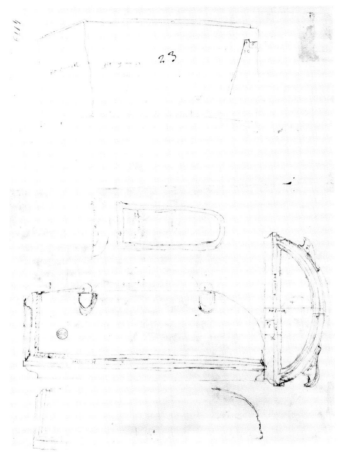

U 4119A *recto*

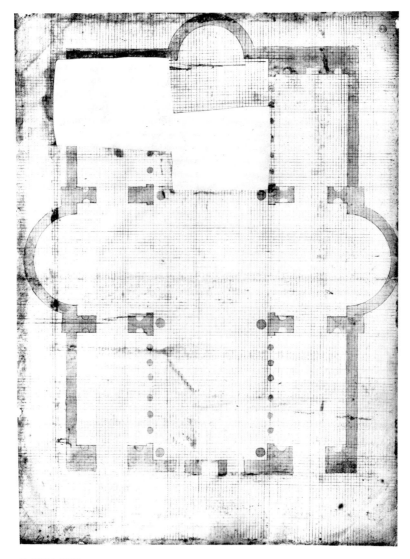

U 4128A *recto*

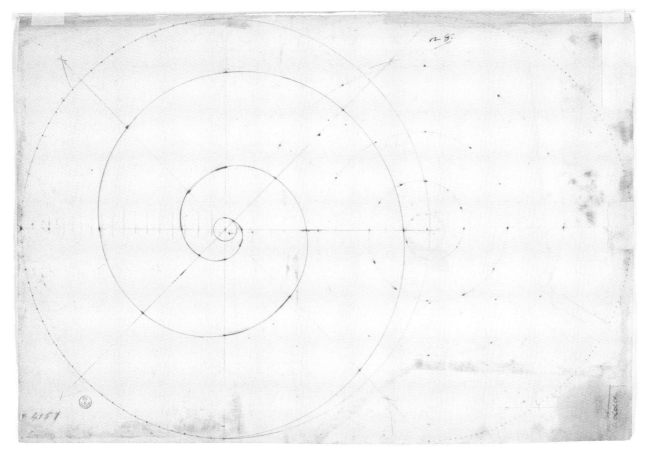

U 4151A *recto*

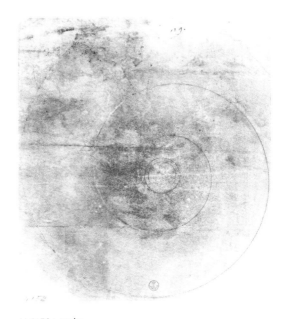

U 4152A *recto*

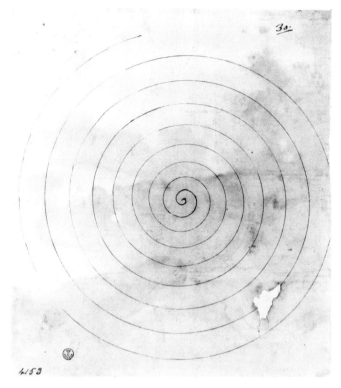

U 4153A *recto*

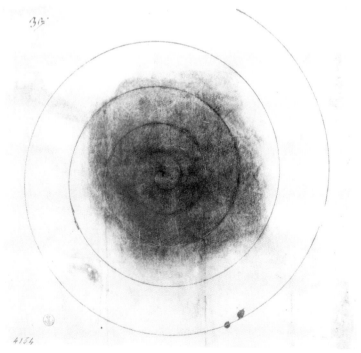

U 4154A *recto*

254

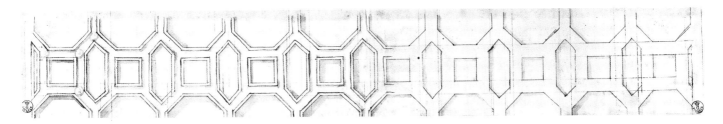

U 6771A *recto*

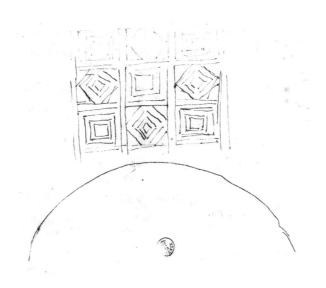

U 6772A *recto*

U 6803A *recto*

256

U 6803A *verso*

CODEX ROOTSTEIN HOPKINS

SENATVS
PO PVLVS QVE ROMANVS
DIVO TITO DIVI VESPASIANI F
VESPASINO AVGVSTO

CODEX ROOTSTEIN HOPKINS 1 *recto*

Prafilo delarcho dibto

CODEX ROOTSTEIN HOPKINS 1 *verso*

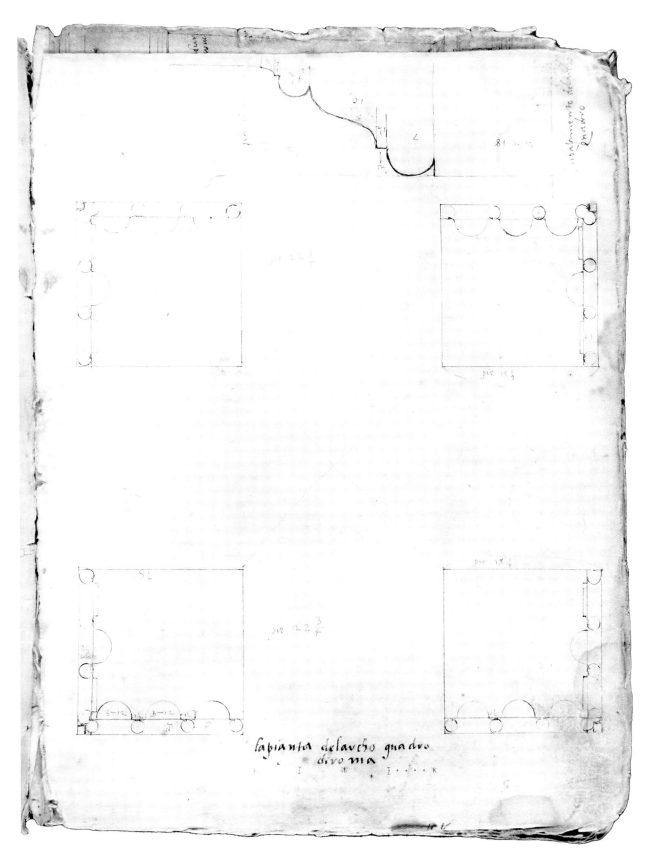

CODEX ROOTSTEIN HOPKINS 2 *recto*

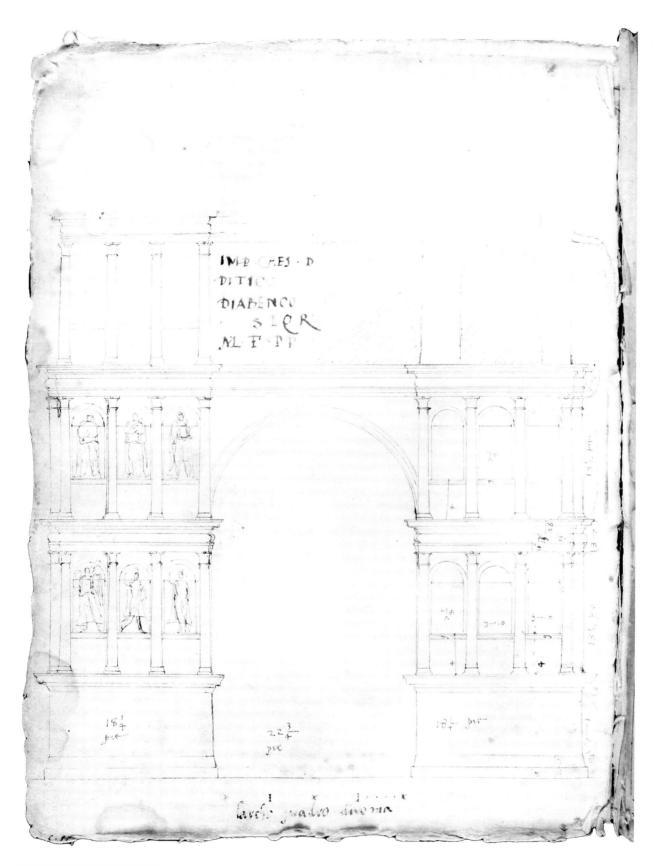

IMP CAES D
DITIC
DIABENC
S LCR
NL F PF

18¼
pie

22¾
pie

18¼ pie

archi quadro di roma

CODEX ROOTSTEIN HOPKINS 2 *verso*

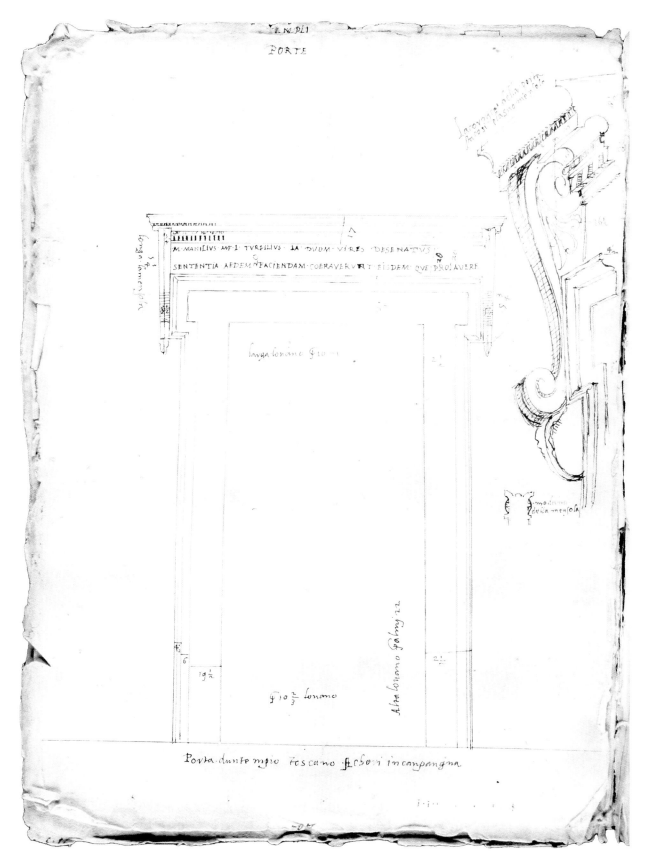

CODEX ROOTSTEIN HOPKINS 3 *recto*

CODEX ROOTSTEIN HOPKINS 3 *verso*

CODEX ROOTSTEIN HOPKINS 4 *recto*

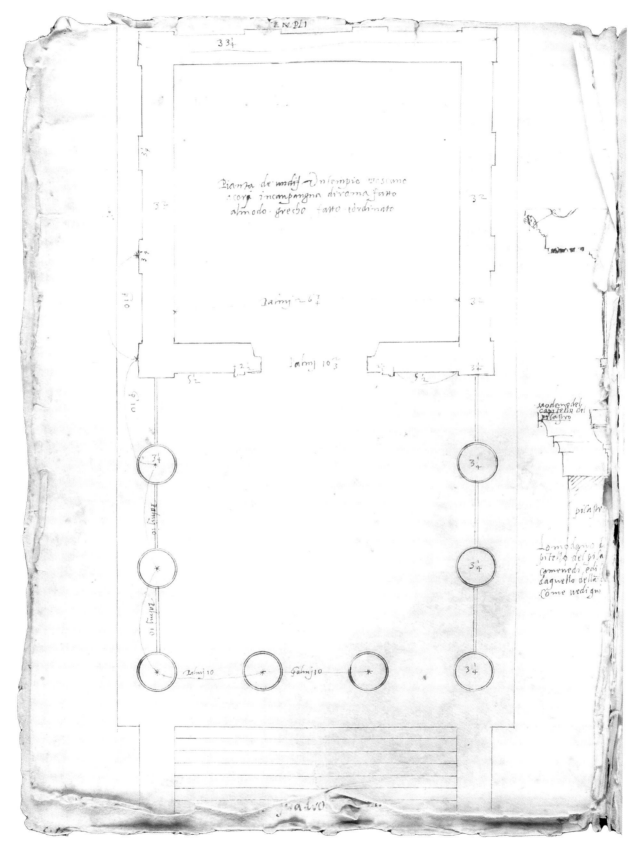

CODEX ROOTSTEIN HOPKINS 4 *verso*

La faciata di questo tempio che adori
in compagna

CODEX ROOTSTEIN HOPKINS 5 *recto*

TEnpio dichastore epolluce
corintio lisnio capitelli sonalti 4
palmj lecolonne grosse 4 palmj
lecholonne infaccia sonpiularghe
luna dalaltro piu che lfrancho
come medi que eqnesto sie inchori
dicampangna hordine corintio

nelsno fregio son queste litere
TENLV CASTORIS EPOLVCI

CODEX ROOTSTEIN HOPKINS 5 *verso*

268

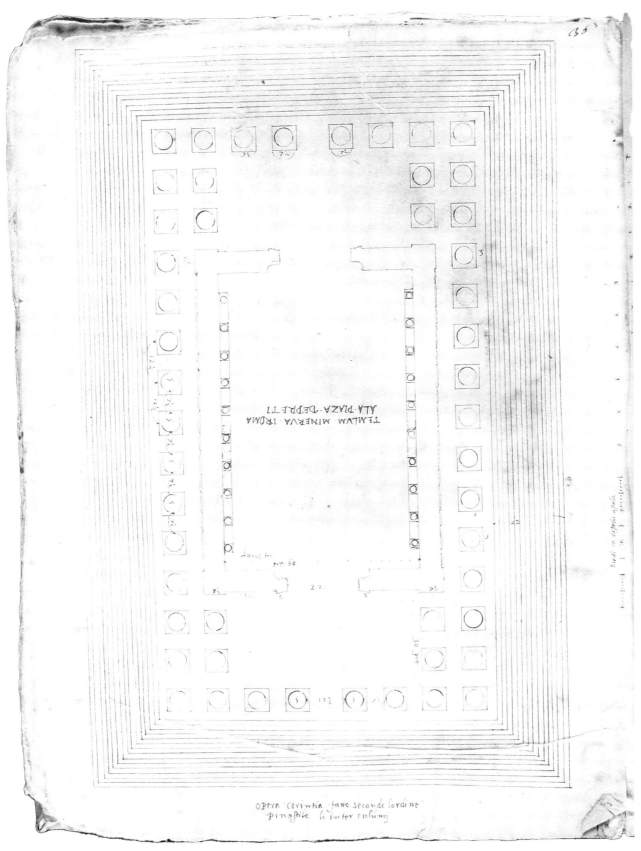

TEMPLVM MINERVA IROMA
ALA PIAZA DEPRETI

CODEX ROOTSTEIN HOPKINS 6 *recto* (?)

profilo deltempio diminerua
Inroma alla piaza deprei
Quelle fiurine songvande qua
nto naturale

CODEX ROOTSTEIN HOPKINS 6 *verso*

270

facciata deltempio diminerua iroma allapiaza
Depreh meza lafacciata sana emeza rotta
lesno colonne tutte achanalate dabasso ealto

CODEX ROOTSTEIN HOPKINS 7 *recto*

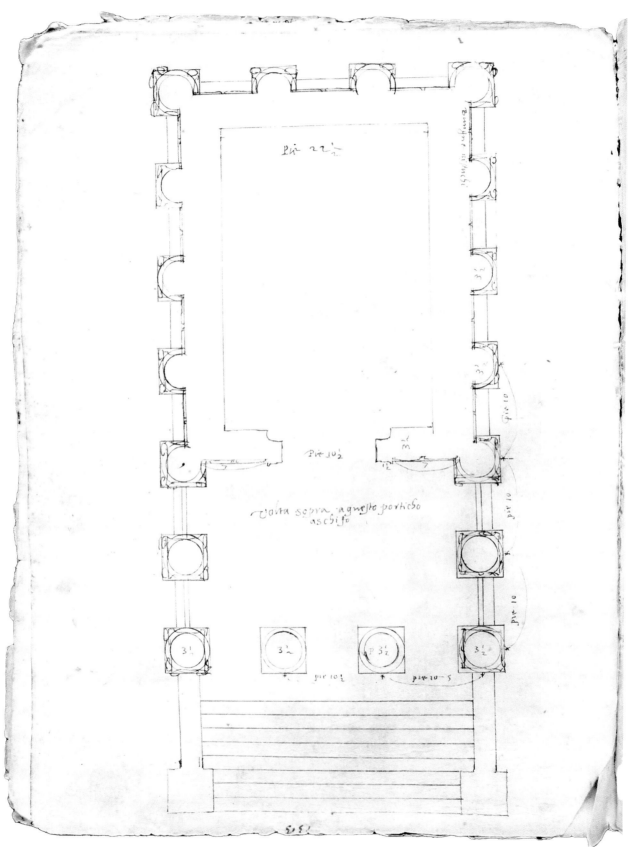

pie 22½

pie 10½

uolta sopra questo porticho aschifo

3½

3½

pie 10

pie 10

pie 10

3½   3½   p. 3½   3½

pie 10½   pie 10-5

CODEX ROOTSTEIN HOPKINS 7 *verso*

272

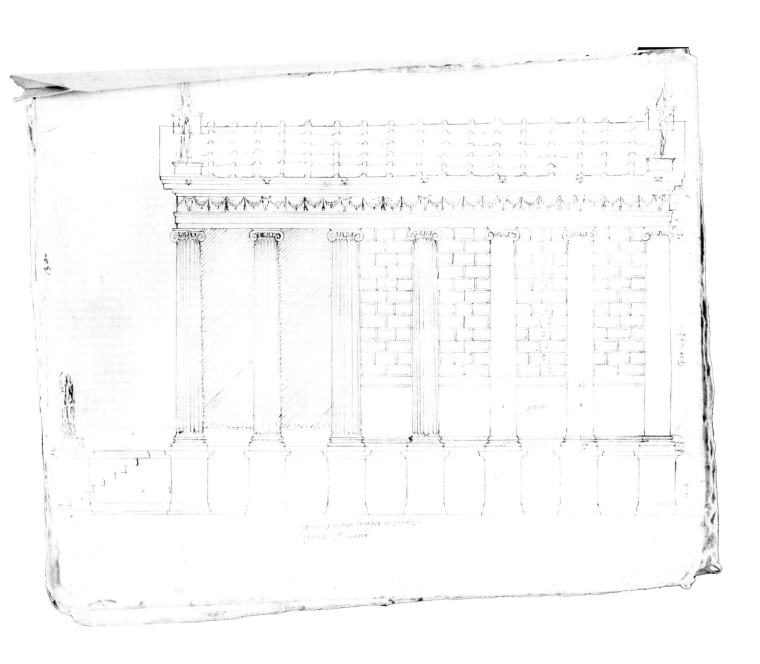

CODEX ROOTSTEIN HOPKINS 8 *recto*

facciata degnel tempio
jonicho aponte s.ta maria

Lasmo porta elunga pie 10 alta
pie 2 2/ apunto loiano

CODEX ROOTSTEIN HOPKINS 8 *verso*

274

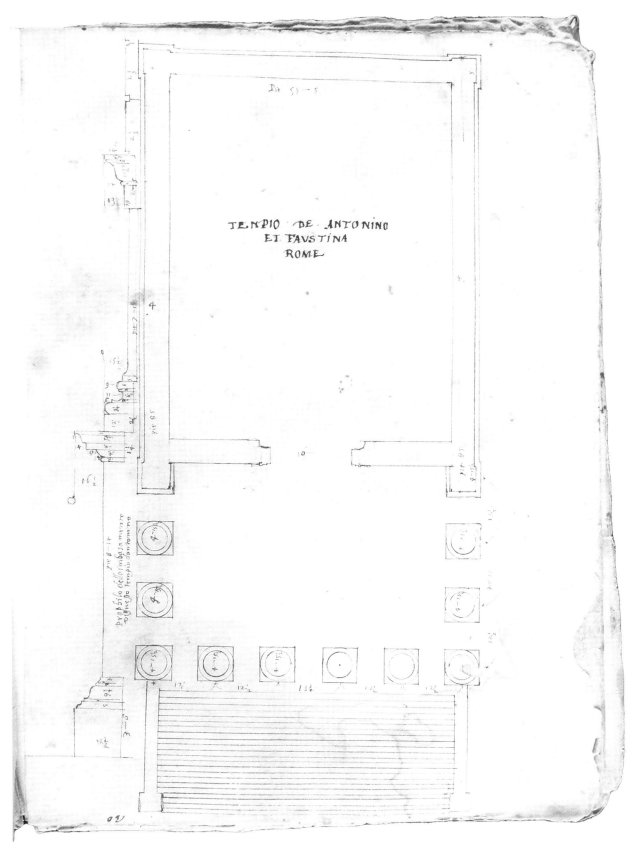

TENPIO DE ANTONINO
ET FAVSTINA
ROME

CODEX ROOTSTEIN HOPKINS 9 *recto*

DIVO·ANTONINO·ET·
DIVA·FAVSTINA·

CODEX ROOTSTEIN HOPKINS 9 *verso*

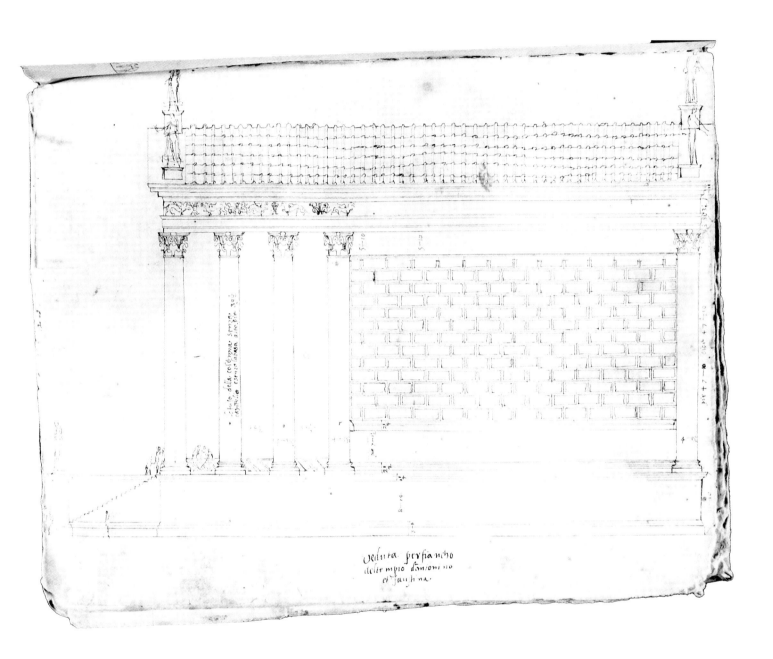

veduta perfiancho
deltempio dantonino
et faustina.

CODEX ROOTSTEIN HOPKINS 10 *recto*

277

Cornicione deltempio
dantonino et faustina

Sofitto delcapitello
atto piè 5—11

CODEX ROOTSTEIN HOPKINS 10 *verso*

278

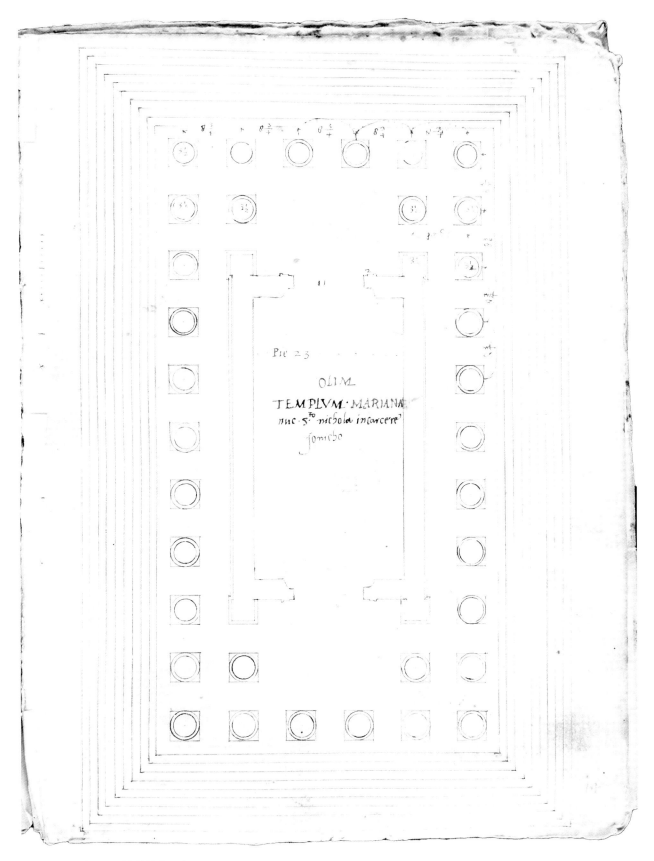

CODEX ROOTSTEIN HOPKINS 11 *recto*

279

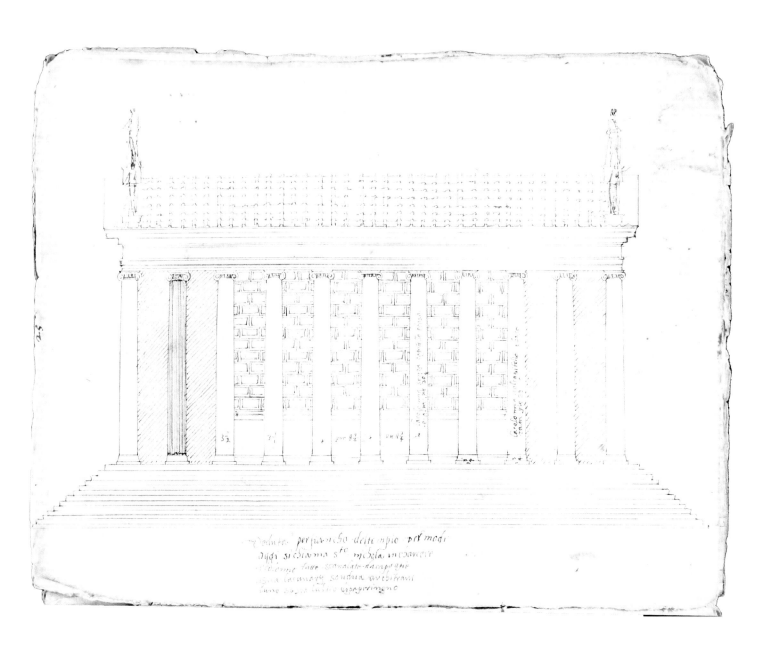

CODEX ROOTSTEIN HOPKINS 11 *verso*

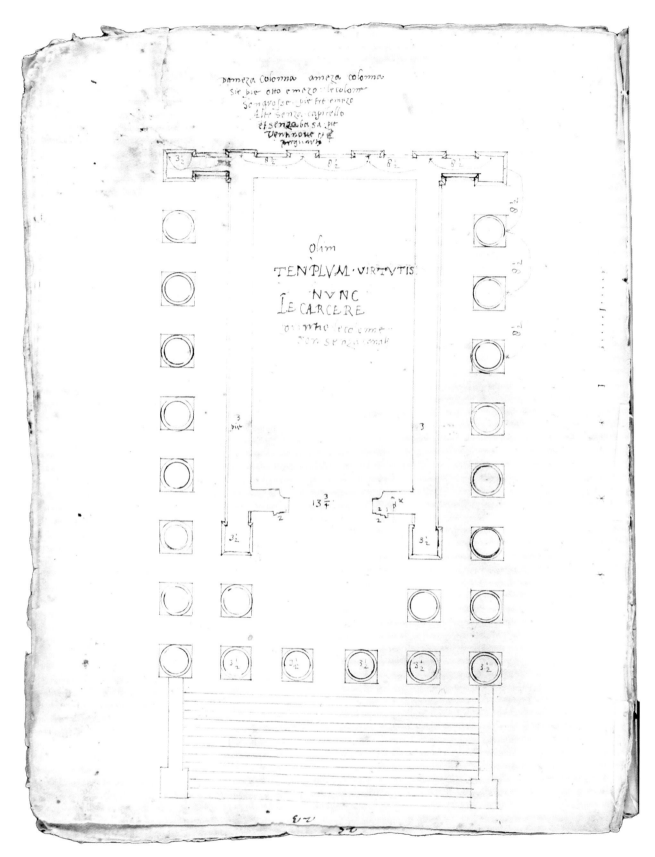

CODEX ROOTSTEIN HOPKINS 12 *verso*

282

faccia ta diquesto tempio co[n] le conceri
Lisna lacunarij sono dua architravi luno
sopra laltro

CODEX ROOTSTEIN HOPKINS 13 *recto*

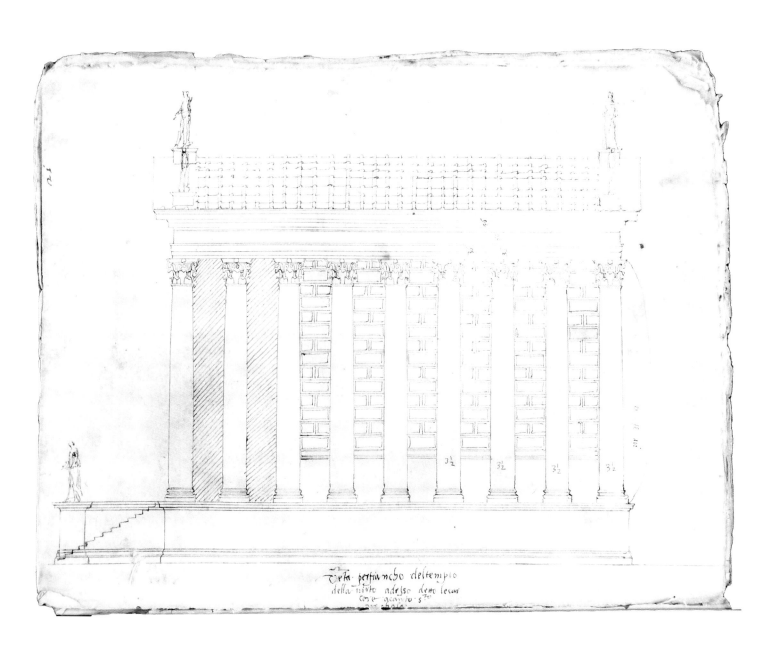

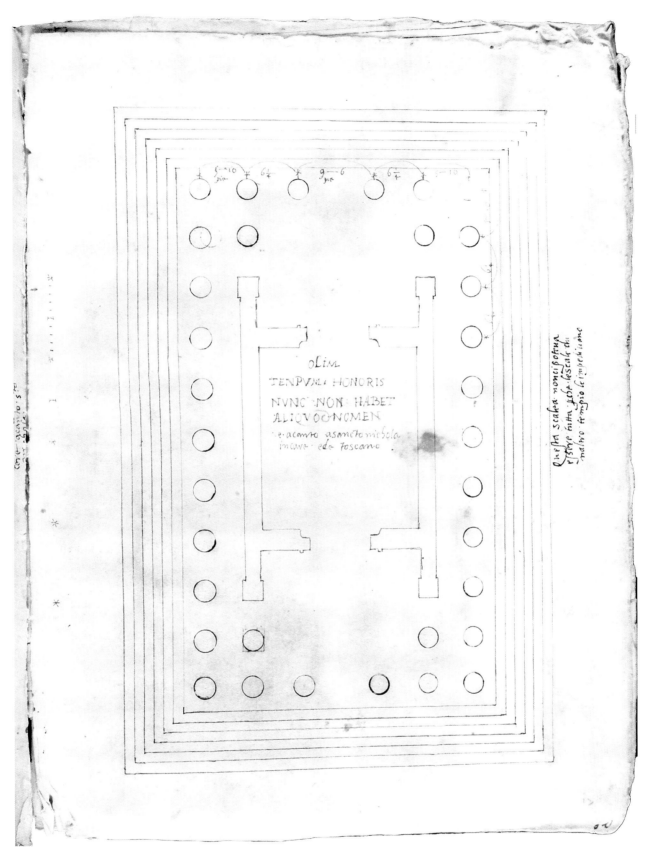

OLIM
TENPVLI HONORIS
NVNC NON HABET
ALIQVOGNOMEN

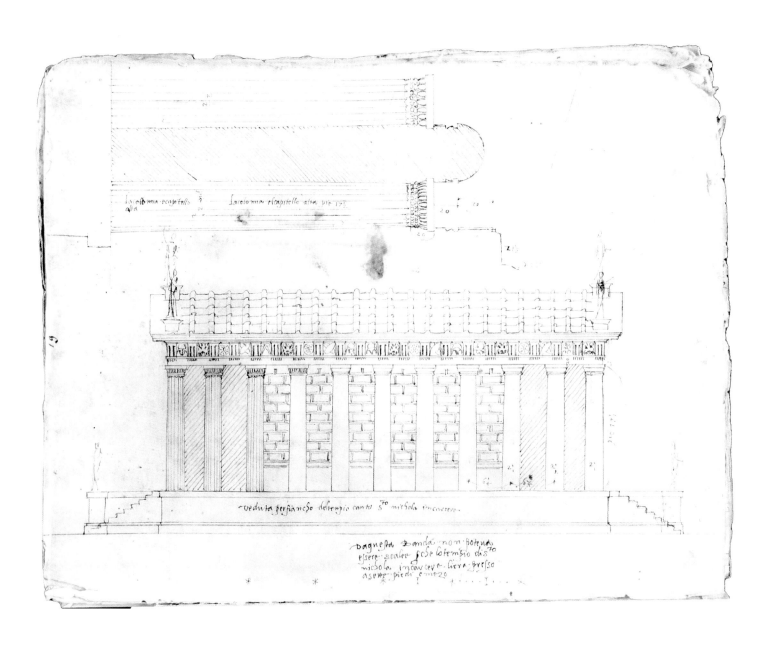

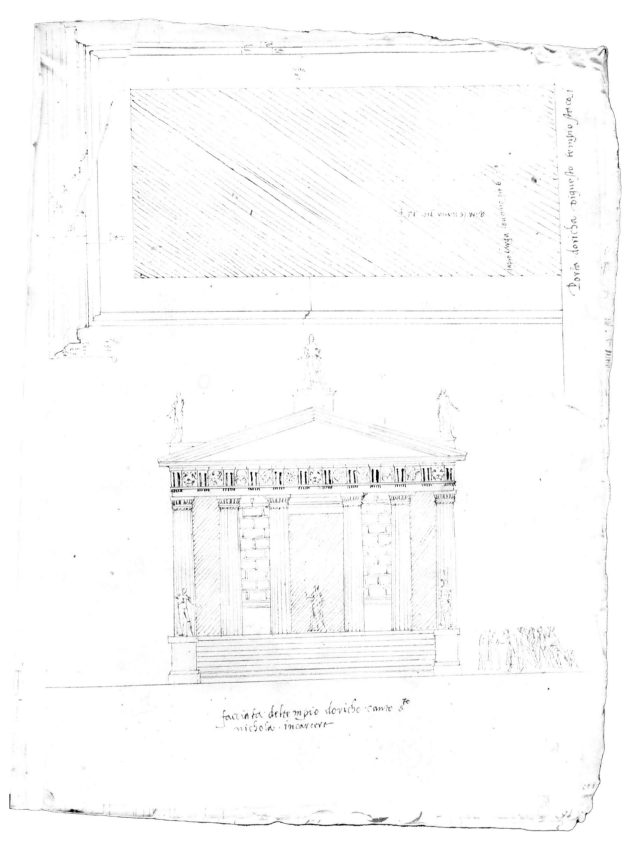

doria dorico diquesto tempio ateca.t

facciata deltempio dorico canto S.to
nichola incarcere

CODEX ROOTSTEIN HOPKINS 15 *recto*

TENPIO SOTTO CAPITOLGLIO
DOVE SON QVEILE TRE
COLONNE INTERZO
HOPERA CORINTIA

CODEX ROOTSTEIN HOPKINS 15 *verso*

IMP CAES L PATI SEVE P CVE S A S III PT
SE S B CAES ANTO M DE SIC CAS CAG III PA S STITVER

lo tu@ della colonna senza basa
senza capitello sie pie 39 -10

39 -10'

39 -10

4¾   7¼   4¾   3½   4¾   7¼   4¾   7¼

FACIA TA DI QVESTA PIANTA QVI
DACANTO CHE SONO QVELLE TRE
COLONE SOTO CAMPIDOLGLIO

10

CODEX ROOTSTEIN HOPKINS 16 *recto*

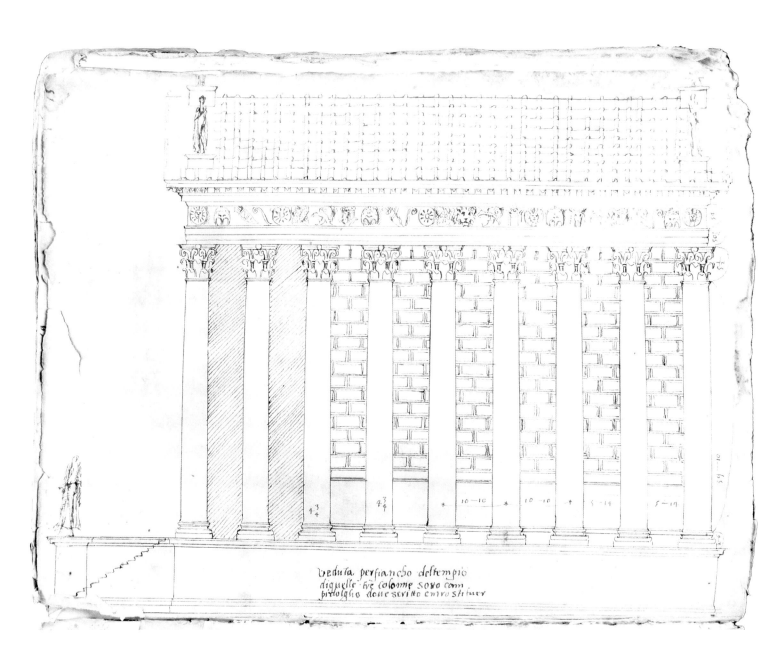

veduta perfiancho deltempio
diquelle tre colonne sono conn
pittolgho doue scritto entro 5 1 iuii

CODEX ROOTSTEIN HOPKINS 16 *verso*

cornice di questo tempio disopra
chede sotto ileampidolglio

STITVER

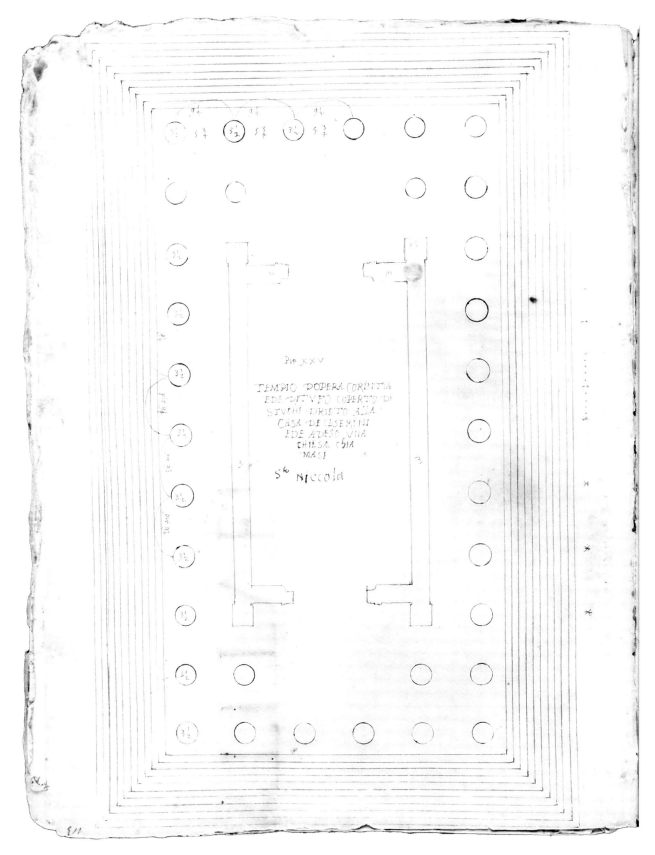

CODEX ROOTSTEIN HOPKINS 18 *recto*

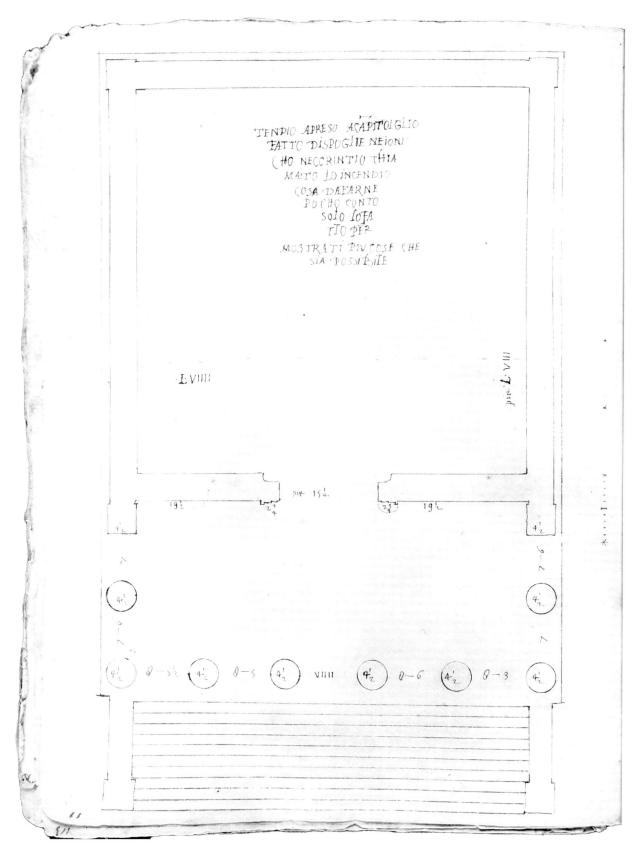

TENDIO APRESO ACAPITOLGLIO
FATTO DISPOGLIE NEIONI
CHO NECORINTIO THIA
MATO LO INCENDIO
COSA DAFARNE
POCHO CONTO
SOLO IOFA
CTO PER
MOSTRATI PIV COSE CHE
SIA POSSIBILE

L·VIIII

piu·L·VIII

CODEX ROOTSTEIN HOPKINS 18 *verso*

CODEX ROOTSTEIN HOPKINS 19 *recto*

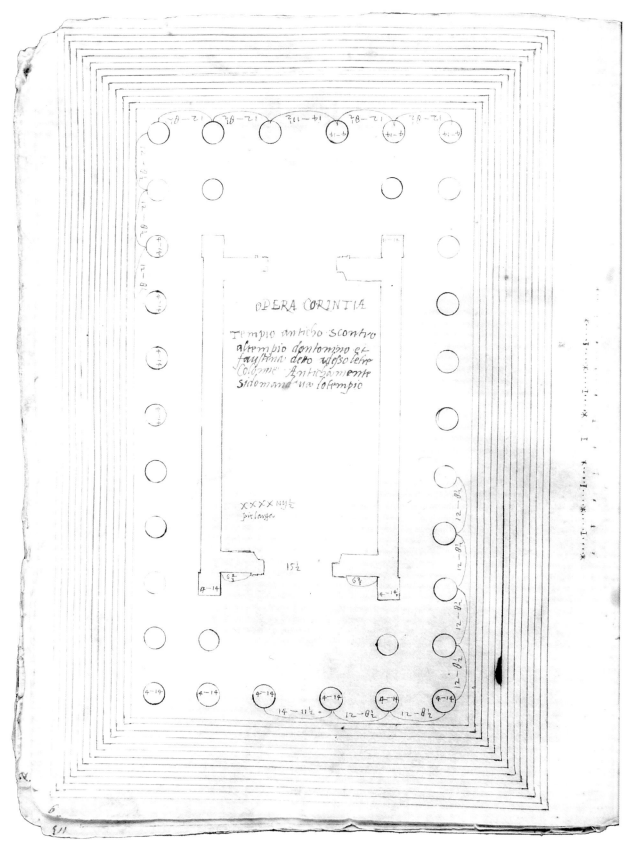

OPERA CORINTIA

Tempio anticho schontro
altempio dantonino et
faustina deto uolgoletre
Colonne Antichamente
sidomandaua lotempio

XXXX iiij½
pie longa

15½

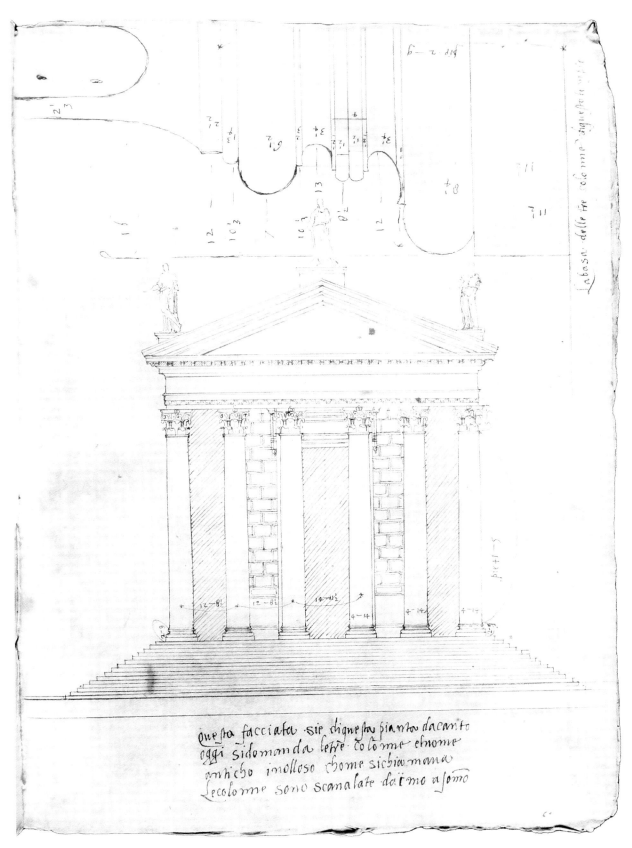

questa facciata sie diquesta pianta dacanto
eggi sidomanda lette colorme elnome
antico imolteso chome sichiamana
lecolorme sono scanalate daimo asomo

CODEX ROOTSTEIN HOPKINS 20 *recto*

297

La veduta Perfiancho del tempio ditto oggi lettre colonne dirinpeto a antonino et faustina Rome

CODEX ROOTSTEIN HOPKINS 21 *recto*

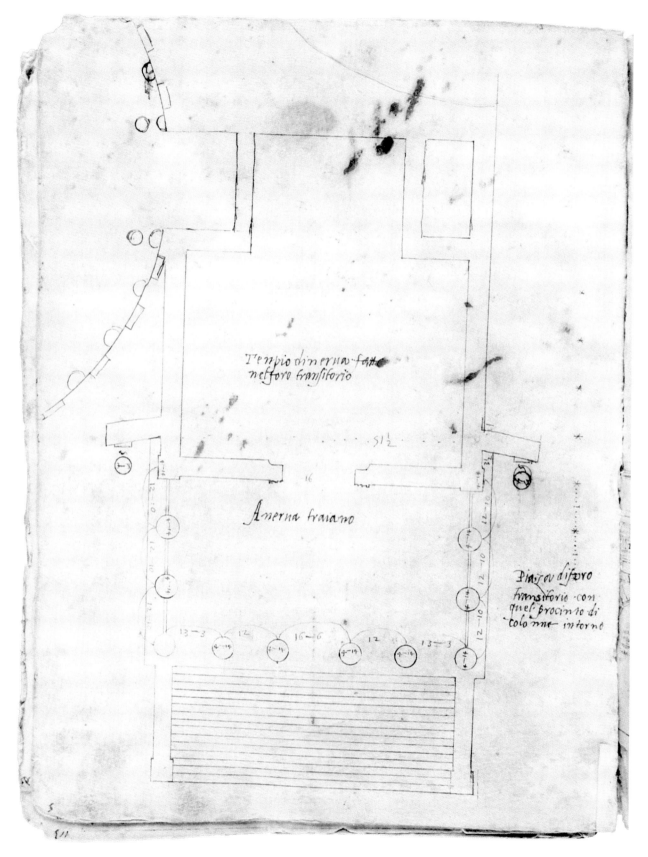

Tempio di nerua fatto
nel foro transitorio

51½

16

Aterna traiano

Piazza di foro
transitorio con
quel procinto di
colonne intorno

13-3   12   16-6   12   13-3

CODEX ROOTSTEIN HOPKINS 21 *verso*

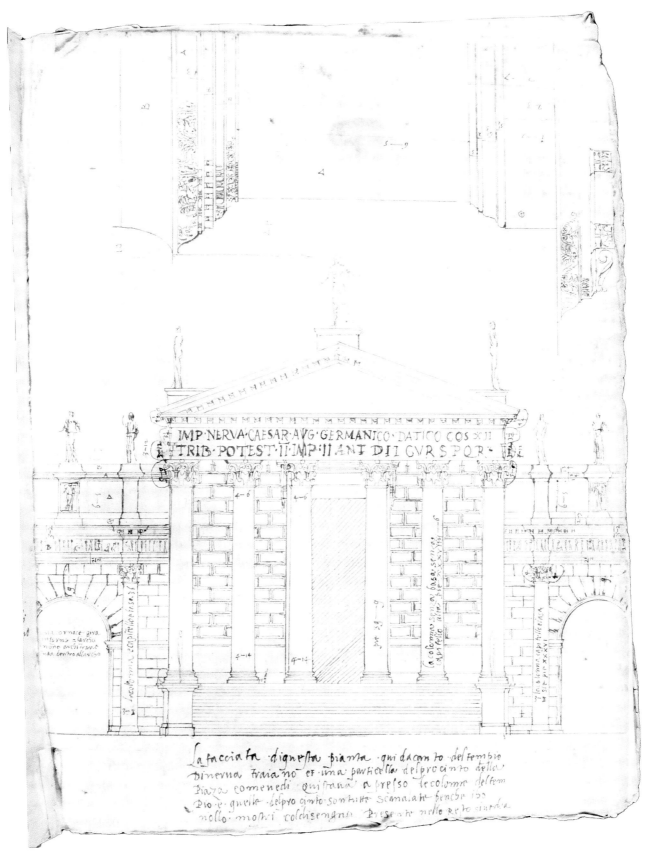

IMP·NERVA·CAESAR·AVG·GERMANICO·DATICO·COS·XII
TRIB·POTEST·II·IMP·II·ANT·DII·CVR·S·P·Q·R·

La faccia ta di questa pianta qui da can to del tempio
di nerua Traia no et una particella del procinto della
Piaza come nedi qui pana a presso le colonne del tem
Pio e queste del pro ginto son tutte scanalate benche io
nello mostri cold senpra presenti nello re to quinta

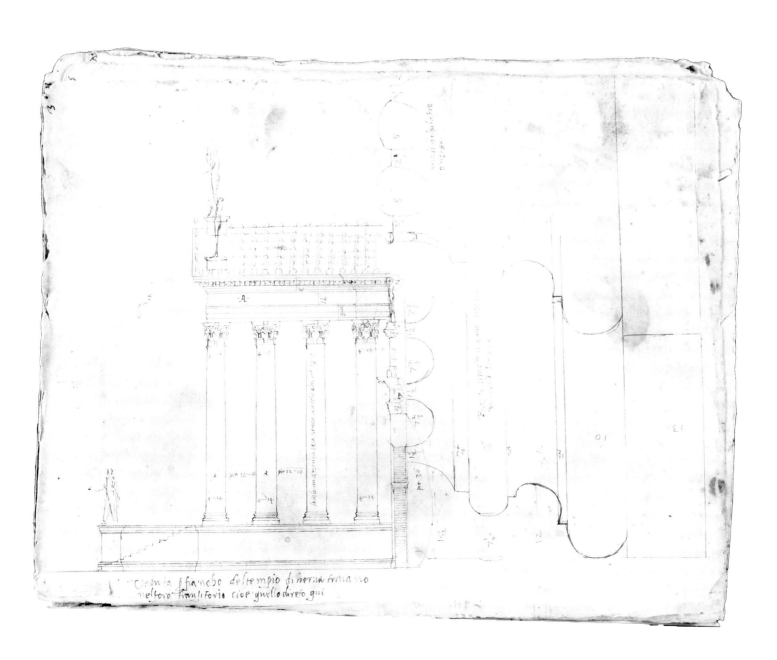

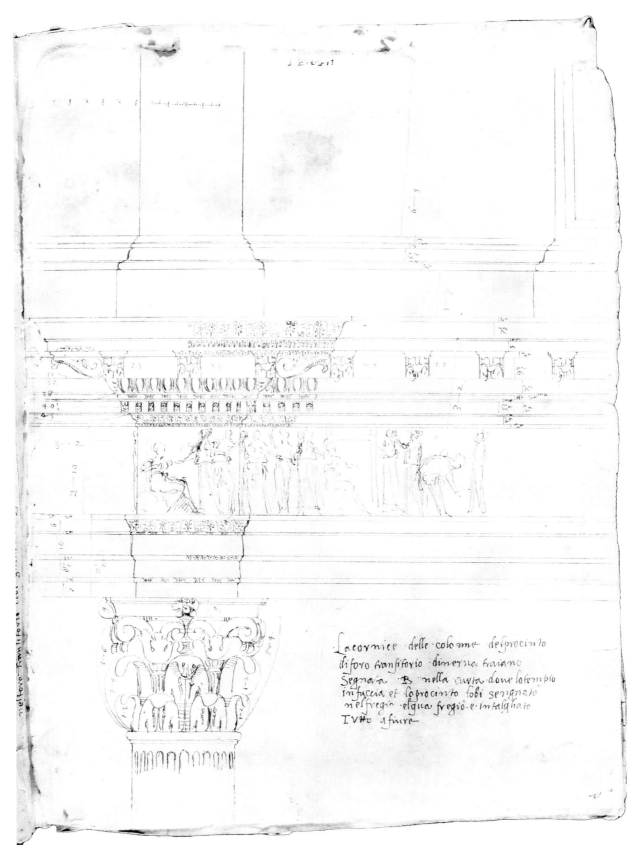

Lacornice delle colonne delprocinto
diforo transitorio diminerua traiano
Segnata B nella carta done lotempio
infaccia et loprocinto lobi senignato
nelfregio elqua fregio e intalgliato
Tutto afuire

CODEX ROOTSTEIN HOPKINS 23 *recto*

303

Cornicione grande deltempio chede
nelforo dinerua fraiano chinedi qui
disopra segnato A edefrutta intaglia
fa come uedi

Cuesto e lorisalto chefa
lacornice apartirsi dae
biastri edirsopra lecolonne
risalta tutto ladiminutiona
della colonna

CODEX ROOTSTEIN HOPKINS 23 *verso*

304